COMMENT FAIRE L'AMOUR ENSEMBLE

Couverture

- Aérographie:
  DANIEL JALBERT
- Maquette:
  GAÉTAN FORCILLO

Maquette intérieure

- Conception graphique:
  JEAN-GUY FOURNIER

DISTRIBUTEURS EXCLUSIFS:

- Pour le Canada:
  AGENCE DE DISTRIBUTION POPULAIRE INC.*
  955, rue Amherst, Montréal H2L 3K4 (tél.: 514-523-1182)
  *Filiale de Sogides Ltée
- Pour la France et l'Afrique:
  INTER-FORUM
  13, rue de la Glacière, 75013 Paris (tél.: 570-1180)
- Pour la Belgique, la Suisse, le Portugal, les pays de l'Est:
  S.A. VANDER
  Avenue des Volontaires 321, 1150 Bruxelles (tél.: 02-762-0662)

Alexandra Penney

COMMENT FAIRE L'AMOUR ENSEMBLE

traduit
de
l'américain
par Jean-Paul Lapierre

Ce livre a été publié en américain sous le titre:
How to Make Love to Each Other
chez G.P. Putnam's Sons à New York

Bibliothèque nationale du Québec
Dépôt légal — 1er trimestre 1983

ISBN 2-89044-118-0

Pour Norman F. Stevens, Jr.
et
Susan Price

Remerciements

Des remerciements tout particuliers à Phyllis Grann, éditeur et rédacteur en chef extraordinaire, John Hawkins, mon exceptionnel agent, Howard Kaminsky, qui a ouvert la voie... et enfin, à Tuna B. Fish, le mystérieux étranger qui continue d'être un des délices de ma vie.

Sincères remerciements également à Myrna Blythe, Barbara Bonn, Paul Cohen, Nancy de Sotto, Alice Fried, Ivo Lupis, Michael Martell, Dr Allen Mead, Marilyn Pelo, Suga, pour l'aide qu'ils m'ont apportée.

Mon incommensurable gratitude à tous nos amis qui m'ont aidée à m'en tirer... et au Cupping Room Cafe, à Elephant et Castle et à l'hôtel Beverly Hills pour le café, un coin de table et un service spécial.

I

La robe rouge

"Ce n'est pas grave", dit Carole, mais il discerne dans sa voix une certaine déception.

"Si, c'est grave; c'est notre anniversaire, dit-il, mais je ne peux vraiment pas m'en dépêtrer..."

"Ne t'inquiète pas, Paul, je t'en prie, l'interrompt-elle pour le rassurer, je sais que c'est une cliente très importante. À quelle heure dois-tu la rencontrer?"

"Elle veut que nous prenions un verre, au bar du Plaza, à six heures. Je vais essayer de m'en débarrasser le plus vite possible."

"Ce n'est pas grave, répète-t-elle, je vais t'attendre."

Il raccroche le récepteur du téléphone. Il aimerait bien quitter le bureau tout de suite et rentrer à la maison. Tout en se tournant pour regarder par la fenêtre, il se demande comment il serait possible d'éliminer définitivement de la surface de la terre ces clients exigeants et capricieux. Puis, se rasseyant derrière son bureau, il prend un crayon, l'enfonce dans le taille-crayon électrique, et le taille de façon très aiguë. Il taille deux autres crayons et s'attaque à une pile de textes juridiques, tournant rapidement les pages en prenant des notes sur un bloc de papier jaune.

Il est maintenant six heures tapantes, et Paul, sa serviette d'avocat dans une main et un sac blanc dans l'autre, cherche sa cliente, une blonde actrice vieillissante, parmi la foule qui emplit le bar du Plaza. Elle n'est pas assise au bar — où elle serait sans doute en train de flirter avec le barman — et elle n'est pas non plus à une des petites tables de marbre qui composent l'ameublement de la salle. Cachant à peine son exaspération et l'ennui que lui cause ce rendez-vous, il l'attend à l'entrée du bar, en repassant dans sa tête les détails de ce cas, tandis que son pied frappe le sol avec impatience.

"M. Hayes, un message pour M. Paul Hayes", la voix du chasseur sonne haut et clair au milieu du brouhaha assourdi des conversations d'affaires.

Et quand Paul s'est identifié, il lui explique: "On vous prie de vous rendre à la chambre 1404."

Dans l'ascenseur, Paul se demande ce que Nathalie peut bien encore avoir en tête. Une scène de séduction, peut-être? Oh mon Dieu! pense-t-il, épargnez-moi ça... En un éclair, son esprit revient à Carole et à la déception qu'il y avait dans sa voix, quand il lui a téléphoné.

"Entrez, répond une voix rauque lorsqu'il frappe à la lourde porte, c'est ouvert."

Ce que Paul voit d'abord, c'est une femme aux cheveux d'un noir corbeau revêtue d'une combinaison de satin noir, de ce modèle luxueux que portent les vedettes de cinéma françaises. La femme lui tourne le dos. Elle se retourne maintenant, lentement et théâtralement. "Carole! Mais qu'est-ce que tu fais ici? Où est Nathalie?"

"À ton avis, qu'est-ce que je fais ici? Joyeux anniversaire!" Elle ne peut retenir son rire en voyant la tête qu'il fait. "Nathalie est à Hollywood, c'est sa place. J'ai monté toute cette mystification avec ta secrétaire. Je savais bien que tu ne te douterais de rien. Les enfants sont chez ma mère et nous avons toute la nuit devant nous!" Riant toujours, elle l'embrasse et entreprend de lui enlever sa veste.

"Tu es folle, tu es merveilleuse. C'est vraiment la plus belle des surprises", dit-il, riant, en se laissant tomber sur le lit. "Je t'aime tellement, plus que jamais! Et pourtant cela fait *neuf* ans!"

Une demi-heure plus tard, en sirotant les dernières gouttes d'une bouteille de champagne, ils regardent enlacés la magnifique vue qu'ils ont des fenêtres de l'hôtel. La lune presque pleine semble une immense perle lointaine et les lumières de la rue font penser à un collier de diamant parmi les arbres sombres de Central Park.

"Les éclats de lumière me font toujours penser à toi", dit Paul en allant prendre dans la garde-robe une boîte blanche carrée qu'il sort d'un sac.

Des paillettes d'un rouge éclatant accrochent la lumière et étincellent quand Carole sort du paquet la fabuleuse robe dans le style des années 20.

"Elle est fantastique! Mais es-tu sûr que cette robe est légale?" demande-t-elle, quelques secondes plus tard tandis qu'elle parade devant le grand miroir cerclé d'or.

"C'est moi l'adulte consentant qui l'ai achetée", répond Paul, en souriant. "La dame du magasin m'a dit qu'elle a des pouvoirs magiques..." Elle l'interrompt en lui donnant un baiser passionné et, tandis qu'elle colle son corps au sien, les paillettes de la robe étincellent et virent au cramoisi dans la lumière tamisée.

"Et ses pouvoirs deviennent encore plus grands quand on l'enlève", poursuit-il en faisant glisser la robe sur ses cuisses.

Elle est en train de défaire sa ceinture. "Et ton tour de taille n'a même pas changé au long de toutes ces années", dit-elle en feignant d'être jalouse, un sourire de séduction aux lèvres. Il fait semblant de ne pas prêter attention à ce qu'elle est en train de faire et tend la main vers sa chaleur. "*Ta* taille à toi, et tout le reste, me paraît tout simplement parfaite", murmure-t-il tandis qu'ils commencent à se faire l'amour...

Carole et Paul ne sont pas des personnages imaginés par quelque habile scénariste pour un feuilleton télévisé des plus romantiques. Je les ai connus trois ans avant leur mariage et ils sont maintenant mariés depuis neuf ans. Ils ont deux enfants, deux voitures, deux beagles absolument fous, deux carrières et ils vivent dans une petite ville proche de New York. Ils peuvent sembler former le couple idéal mais, de fait, ils ont des points de vue différents sur presque tout, de la politique à la façon de faire la vaisselle. Comme tout le monde, ils ont des problèmes réels, des conflits réels, des angoisses réelles et ils se chamaillent beaucoup, mais contrairement à la plupart des gens, ils vivent une relation profonde, durable, excitante et intense.

Une fois de temps en temps, ils arrêtent tout, Carole enfile sa robe rouge à paillettes et ils passent la nuit en ville, mais la plupart de leurs soirées se passent à la maison, avec les enfants ou avec de bons amis. Carole et Paul aiment être l'un avec l'autre, se toucher l'un l'autre, partager les bons moments comme les mauvais. Paul m'a dit une fois: "Nous vivons dans un monde dur, où la compétition est féroce. Il est très facile de dérailler et de se mettre à penser que l'argent, la carrière et l'école où doivent aller les enfants sont les choses les plus importantes dans la vie. Carole et moi, nous attachons de l'importance l'un à l'autre, à nos enfants, à nos amis. Nous voulons être ensemble, riches ou pauvres, pour le meilleur ou pour le pire, malades ou en santé, pour toujours!"

Carole et Paul vivent une relation amoureuse qui *marche* vraiment: émotionnellement, intellectuellement et physiquement. Ils font partie des nombreuses personnes — mariées, célibataires, divorcées, ou vivant en couple — que j'ai interrogées pour écrire ce livre. Qu'est-ce qui fait que certaines relations sont si spéciales? Qu'est-ce que ça prend pour vivre une relation très profonde, excitante, riche et durable? Avant d'aborder les réponses propres à chacune de ces questions et à bien d'autres, il serait bon de jeter un regard rapide sur ce qui s'est passé dans la dernière décennie.

Un regard sur le passé... et sur le présent

Si l'on considère les années 70, on constate qu'un grand nombre de livres et d'articles de magazines ont été consacrés aux besoins émotionnels et physiques des femmes. Le rôle des femmes dans la société a changé rapidement et aussi bien les hommes que les femmes ont été saisis par la difficile nécessité d'avoir à se redéfinir et à réévaluer ce qu'ils étaient et ce qu'ils voulaient. Mais, au cours de cette décennie, l'accent a été mis avant tout sur les femmes.

Dans le domaine particulier de la sexualité, les voix innombrables qui se sont fait entendre à la télévision et à la radio autant que dans des livres sérieux et des magazines ou des journaux nous ont avisés que les femmes sont multiorgasmiques, qu'il nous faut à nous les femmes une façon de toucher et un rythme différents, que nous nous développons dans une atmosphère où l'on se soucie de nous, dans l'affection, le romantisme et la reconnaissance de notre psychologie spécifique. Bien qu'il y ait apparemment eu une avalanche de documents sur le sujet, beaucoup de l'information véhiculée s'est avérée utile et des progrès réels ont été faits dans la compréhension de la sexualité féminine et des besoins physiques et émotionnels des femmes.

Les années 80 ont commencé par une explosion de livres consacrés au second sexe: l'homme. *Les Hommes et l'Amour, le Rapport Hite, Comment faire l'amour à un homme*, et une foule d'articles dans des magazines populaires ont commencé à nous donner un aperçu de ce que les hommes d'aujourd'hui exigent d'une relation intime, de ce qu'il leur faut. La recherche s'est attachée aux peurs des hommes, à leurs anxiétés, à leurs préférences et à leurs petits malheurs. On a toujours confié aux hommes le rôle de prince charmant. Ils devaient emmener la femme au restaurant, commander le vin qu'il faut, donner un pourboire au maître d'hôtel, et, quand tout avait été dit, il était *entendu* qu'ils devaient ramener la femme à la maison et prendre l'initiative dans la chambre à coucher. Les femmes ont commencé à se rendre compte que les hommes n'aimaient pas toujours jouer ce rôle; beaucoup d'hommes souhaitaient secrètement — ou parfois ouvertement — une partenaire égale qui prendrait une responsabilité égale dans l'amour, une femme sexuellement avertie qui fasse les premiers pas de temps en temps, sinon même la moitié du temps.

Aujourd'hui nous en sommes au point où nous pouvons regarder en arrière et commencer à tirer des conclusions. Nous avons vécu la révolution sexuelle. Nous avons connu l'amour "libre", le mariage "ouvert" et l'attitude du "qu'est-ce que ça me donne, tout ça" de la décennie précédente. "La génération du "moi" des années 70 devient tranquillement la génération du "nous", dit un célèbre psychologue new-yorkais qui travaille avec des couples et que j'ai interrogé. Ce que les gens cherchent passionnément aujourd'hui, c'est une relation romantique, profonde, enrichissante, en un mot: intime, avec un autre être humain. Beaucoup d'entre nous pensent que c'est ça le plus important, que c'est ça qui a le plus de valeur dans notre monde instable, perturbateur et troublant."

Un architecte exprime ça de la façon suivante: "La relation que je recherche est comme une maison bien conçue: elle vous réchauffe, vous protège, vous enveloppe, mais vous donne assez d'espace pour respirer et croître." Et un assistant de recherche de vingt-sept ans aux idées et au langage clairs m'a dit: "Je suis si fatigué de me garder toujours des portes de sortie. Peut-être que la liberté totale est elle-même un carcan. Je cherche quelque chose qui dure. J'espère ne pas caresser un rêve impossible. Je veux connaître ce qui fait que les gens restent ensemble, dans le bonheur."

J'ai écrit *Comment faire l'amour à un homme* parce que j'avais découvert que les femmes d'aujourd'hui avaient besoin d'informations spécifiques sur ce que les hommes veulent, physiquement et émotionnellement, dans une relation. Les centaines de lettres que j'ai reçues et les questions que l'on m'a posées quand je parcourais le pays pour donner des conférences sur ce livre m'ont amenée à écrire *Comment se faire l'amour ensemble.* Les questions et les lettres prenaient des formes diverses et venaient de femmes et d'hommes de tous âges, entre dix-neuf et soixante-douze ans, plus précisément. Ce qui m'a particulièrement frappée c'est que les femmes posaient régulièrement le même type de questions et que les hommes en faisaient autant, de leur côté.

Les femmes demandaient:

"Comment garder son intérêt?" "Comment maintenir notre relation vivante et excitante, année après année?"

Les hommes demandaient:

"Pourquoi ne comprend-elle pas que bien faire l'amour a une grande importance dans la durée d'une relation?" "Comment faire pour l'intéresser davantage au sexe?"

Je pense que ces questions révèlent beaucoup de choses sur les préoccupations, les attitudes et les différences qu'il y a entre les hommes et les femmes d'aujourd'hui. Ces questions ont été le point de départ de ce livre. Je me suis mise à rencontrer des couples mariés, des amants qui vivaient ensemble, et des célibataires, hommes et femmes, pour trouver les réponses et découvrir ce que les hommes et les femmes attendent exactement d'une relation amoureuse, quelles idées ils se font de ce que devrait être l'intimité, ce qu'ils craignent et espèrent, ce qui fait que le feu d'artifice des sens se termine, ce qui fait qu'un couple reste uni, ce qui fait que les gens demeurent en amour et ce qui fait qu'ils se séparent. J'ai également interrogé des psychologues, des sociologues et des sexologues tout en lisant tout ce que je pouvais lire sur le sujet. En tout, j'ai parlé à environ deux cent cinquante personnes de tous âges, d'éducation et de revenus divers. Ils m'ont donné des réponses intéressantes, très éclairantes, poignantes, surprenantes et, dans énormément de cas, très pratiques et très utiles pour les autres.

Comment se faire l'amour ensemble représente une tentative pour aider aussi bien les hommes que les femmes à mieux se comprendre les uns les autres tant sur le plan sexuel que sur le plan émotionnel. J'ai essayé de fournir des lignes de conduite simples sur les plans physique et psychologique, à suivre pas à pas, et qui ne soient ni trop timides ni trop cliniques; j'ai cherché, par-dessus tout, à transmettre une information claire, précise et utile aux hommes et aux femmes qui recherchent une relation valable et profonde et à ceux qui en vivent déjà une et veulent la voir durer.

II

Qu'est-ce qui fait que les gens restent en amour?

Qu'est-ce qui fait que les gens restent en amour? Qu'est-ce qui fait que certaines relations sont excitantes, intenses et vous comblent pleinement? Qu'est-ce qui fait qu'il est possible d'éviter le divorce, les disputes sur l'oreiller, de se sentir pleinement aimé et d'aimer pleinement, de partager sa vie avec quelqu'un qui soit votre égal?

Les réponses tournent autour d'un seul point: *l'intimité.* L'intimité est l'un des mots les plus usés et les moins compris d'aujourd'hui. J'ai parlé avec plus de trente hommes et femmes ayant des personnalités différentes pour essayer d'en trouver une définition claire, mais les réponses allaient de "beaucoup de dorlotage" à "une proximité cosmique".

"Caractère intime, intérieur et profond; ce qui est intérieur et secret", voilà comment le définit le *Robert.*

"Qui révèle le coeur", disait le poète Yeats.

"C'est une situation dans laquelle tout est permis", dit un cadre de l'industrie des cosmétiques, "une situation dans laquelle deux personnes se sentent tellement en sécurité avec elles-mêmes et l'une avec l'autre qu'elles n'ont pas à feindre quoi que ce soit. Elles savent que tout ce qui les concerne est aimé de l'autre, le bon comme le mauvais." C'est une définition qui touche presque à l'essentiel et pourtant il y a encore autre chose. "C'est une sorte de cocon amoureux dans lequel on se sent au chaud, protégé et en sécurité", disent Carole et Paul, ajoutant ainsi une autre dimension à l'intimité.

Vivre une relation intime — c'est-à-dire connaître l'intimité — est une des choses les plus merveilleuses au monde, et même peut-être la plus merveilleuse. Des millions de personnes recherchent un rapport intime, engagé, durable et excitant avec une autre personne. Mais pourquoi ce genre de relation existe-t-il si peu? Comment se fait-il que si peu d'hommes et de femmes connaissent une vie en commun heureuse, excitante et intéressante? Je pense que c'est parce que beaucoup d'entre nous ne savent pas vraiment en quoi consiste l'intimité ou une relation intime. On ne nous a pas vraiment appris ce qu'exige la proximité intense qui fait que deux vies sont riches et pleines de sens. "Je recherche l'intimité, comme la plupart d'entre nous", conclut un homme de Miami, "mais je ne parviens pas à saisir ce que l'on attend de moi. Je pense que nous avons trop de livres et pas assez de modèles vivants."

J'ai lu des livres et des articles sur l'intimité et j'ai interrogé des hommes et des femmes qui vivent des relations vraiment intimes — et beaucoup plus qui n'ont pas cette chance — et j'ai découvert que la plupart des gens ont une idée pas tellement claire ou encore restrictive de l'intimité et c'est de là que vient une bonne part du problème. Il faut savoir très clairement ce qui est nécessaire pour vivre une relation qui donne à chacun un sentiment de lien profond, une impression de grande richesse et de plénitude. Une relation intime exige:

La capacité de faire confiance. Si vous faites confiance à quelqu'un — émotionnellement, sexuellement, moralement, financièrement — vous avez une base solide pour l'intimité. "C'est extrêmement difficile de faire totalement confiance, surtout quand tant d'entre nous se sont fait enseigner dès l'enfance à se méfier des autres et de leurs mobiles", fait remarquer un sociologue de Chicago. Mais il est essentiel de surmonter cette méfiance qui est devenue une seconde nature — et de faire un acte de foi pour éprouver une confiance totale — si l'on veut qu'une relation devienne vraiment intime.

L'honnêteté. On ferme la porte à toute possibilité de relation valable si l'on ment ou si l'on fait semblant. Si vous simulez l'orgasme ou si vous tentez de faire plaisir à votre mari en lui disant ce que vous croyez qu'il veut entendre, vous êtes sur la mauvaise voie. Si vous ne dites pas à votre amant ou à votre femme qu'il vous faut plus de sexe ou plus de compréhension, ou si vous lui dites que tout va bien, tout en fréquentant quelqu'un d'autre en secret, vous ne vivez pas l'intimité, vous vivez une relation de pure convenance. "Au coeur d'une véritable intimité, il y a la vérité", dit un homme de Houston qui adore l'honnêteté sur laquelle reposent ses dix-huit années de mariage.

Le temps. Nous vivons dans un monde extrêmement stressant, un monde où chacun est pressé, préoccupé, et, lorsque vient le temps d'oublier les soucis de la journée, la majorité des Américains le passent à regarder HBO*, un match des Jets, des Knicks ou des Rams, ou *La croisière s'amuse*, plutôt que de prendre simplement le temps d'être ensemble et de se parler de façon intime et amoureuse. "L'intimité des couples se limite, en moyenne, à seulement dix-sept minutes par semaine", fait remarquer un chercheur de La Nouvelle-Orléans. "Les gens passent plus de temps à développer leurs arrière-pensées ou leurs rêves à propos d'une relation excitante qu'à en cultiver une." "Les femmes, de par leur éducation, ont été amenées à penser qu'elles doivent faire la vaisselle d'abord. L'intimité prend place en bas de

* Chaîne de télévision à péage américaine. (*N.d.É.*)

la liste", dit une journaliste de San Francisco. Et elle a raison.

L'acceptation des forces et des faiblesses de l'autre. Il peut très bien être un lion farouche et protecteur pour sa famille et un important homme d'affaires, mais ne pas faire la différence entre un silencieux et un carburateur et se démonter s'il lui faut accrocher un tableau au mur. Elle peut fort bien être une mère chaleureuse et attentive et une femme de carrière accomplie, mais ne pas être capable d'équilibrer son budget ou de glacer un gâteau. L'essentiel est là: aimez votre partenaire pour ce qu'il (ou elle) est et non pour ce que vous souhaitez ou aimeriez qu'il (ou elle) soit.

Une attitude non compétitive. Beaucoup d'entre nous veulent passer devant plus vite, mieux ou plus souvent que l'autre. L'intimité est un domaine où la compétition peut s'avérer très destructrice. Il n'est pas question de savoir qui a raison, qui est meilleur, qui en fait ou en gagne le plus, mais c'est plutôt affaire de compromis, de compréhension, de négociation, de sensibilité et, par-dessus tout, de respect de l'autre. "John et Yoko offrent un bon exemple, dit un de leurs admirateurs. C'était deux personnes très compétitives, mais qui ne semblaient pas entrer en compétition l'une avec l'autre."

De l'engagement dans la sexualité. L'intimité sexuelle ne forme qu'une partie de la véritable intimité, mais pour bien des gens c'est le domaine qui cause le plus de problèmes déconcertants et douloureux. "L'engagement dans la sexualité" est un des points les plus importants d'une relation intime. Peut-être faut-il expliquer un peu plus cette idée. Les chercheurs dans ce domaine (Masters et Johnson, en particulier), les thérapeutes, les psychologues et les couples qui ont connu une intimité physique pendant une longue période sont tous d'accord pour dire que l'engagement dans la sexualité est un facteur essentiel au maintien d'un mariage et à la vie qui l'anime. En termes simples, cela veut dire qu'il faut être un individu sain, sensuel, assumant sa sexualité et aimant donner et recevoir du plaisir. Il est surprenant de voir combien de gens de nos jours s'interdisent encore de penser ou de sentir de cette façon.

J'en suis arrivée à croire que certains hommes et certaines femmes naissent avec une "touche magique". Ils possèdent quelque chose de spécial à quoi leurs partenaires réagissent immédiatement et *continuent* toujours de réagir. Ce "quelque chose de spécial" est une compréhension intuitive de la sexualité et de la sensualité. Cela consiste à savoir, entre autres, quand et comment toucher, comment bouger, quoi faire avec son corps, en résumé, comment donner du plaisir à l'autre de toutes les façons sensuelles possibles.

Bien que certaines personnes chanceuses soient nées avec "ça", d'autres peuvent apprendre à développer leur sensibilité afin de se donner du plaisir et d'en donner aux autres. Pensons un peu à ce qu'il en est, dans le domaine de la cuisine: sans consulter de livre de recettes, le cuisinier-né sait instinctivement comment apprêter un plat pour qu'il soit appétissant et goûte encore meilleur qu'il ne semble l'être. D'autres doivent apprendre en suivant des recettes et en mesurant soigneusement tous les ingrédients. Les deux méthodes sont bonnes. Ce que je m'efforce de montrer c'est qu'on peut *apprendre* à être sensuel, à assumer sa sexualité et à communiquer ce qu'on désire et ce dont on a besoin. Et c'est cela qui forme l'essentiel de ce livre, car la part physique et émotionnelle d'une relation est une des bases les plus importantes d'une intimité vraie et durable.

III

Le grand clivage: Comment et pourquoi hommes et femmes voient l'amour et le sexe de façon très différente

Les hommes ont plus tendance à courailler
que les femmes.
Les femmes ne veulent pas du sexe pour le sexe.
Les hommes ont tendance à vouloir plus
d'une femme.
Les femmes ne veulent pas de relations sexuelles
avec plusieurs partenaires.
Les hommes sont bien plus excités que
les femmes par la vue d'un corps nu.

Ce sont là les conclusions d'un éminent sociobiologiste nommé Donald Symons, conclusions qu'on retrouve dans un livre intitulé *l'Évolution de la sexualité humaine*, publié en 1979. Ce livre a littéralement soulevé un tollé de protestations. On l'a dénoncé comme le manifeste "macho" par excellence, en disant qu'il donnait aux hommes, sur une base pseudo-scientifique, la permission de mener une vie sexuelle libre, tandis que les femmes y étaient ravalées à leurs rôles traditionnels et stéréotypés de gardiennes monogames de la maison et du foyer. D'autres cependant ont loué Symons d'avoir apporté, en tant que sociobiologiste sérieux et compétent, une contribution importante à la science du sexe.

A-t-il raison? Les hommes sont-ils fondamentalement des aventuriers qui recherchent le sexe sans discrimination? Les femmes, quant à elles, sont-elles foncièrement incapables d'apprécier le sexe en lui-même? Préfèrent-elles réellement la monogamie? Aucune vérification formelle des théories de Symons n'a encore été faite et la recherche sur les différences de comportement entre l'homme et la femme sur le plan sexuel en est encore à un stade embryonnaire, ouvert à la controverse la plus large. Mais il devient, scientifiquement, de plus en plus clair qu'il existe beaucoup de différences fascinantes, mises à part les évidentes différences biologiques, entre les hommes et les femmes.

Les recherches les plus récentes révèlent que les hommes et les femmes semblent voir le monde de façon différente, que les filles excellent dans l'expression verbale, ont une excellente coordination motrice et une grande dextérité, alors que les garçons ont une orientation plus visuelle et spatiale de même qu'un certain degré d'excellence en mathématiques et un plus grand niveau d'agressivité. (Incidemment, beaucoup de ces études sont menées par des femmes.) Les filles, lorsqu'elles sont bébés, semblent avoir une propension particulière aux grimaces et ont plus tendance à se montrer sensibles aux sons. Quant aux garçons, on pense qu'ils répondent plus que les filles aux lumières, aux formes et aux objets à trois dimensions.

Une différence importante, et plutôt intrigante, que l'on relève entre les hommes et les femmes adultes, concerne les réactions différentes qu'ils ont face à tout ce qui est visuel. Bien des femmes à qui j'ai parlé ne comprennent pas comment il se fait que la vue d'un corps nu ou d'une image érotique puisse représenter un si puissant stimulus sexuel pour un homme. Les hommes qui aiment regarder des femmes en bikinis suggestifs, ceux qui parcourent avec plaisir les pages de *Playboy* ou qui regardent à l'occasion les programmes les plus osés de la télévision par câble ne sont pas irrémédiablement "cochons", ou obsédés, ou grossiers. Les hommes répondent énormément aux informations visuelles, et ce dès l'enfance, et il se peut fort bien que l'on finisse par prouver qu'ils ont biologiquement besoin d'une certaine stimulation visuelle pour être excités.

Étant donné que de nombreux chercheurs ont avancé la théorie que, enfants, les femmes réagissent aux sons et sont plus attirées par la lecture, il n'est guère surprenant qu'un certain nombre de femmes que j'ai interrogées m'aient avoué que, alors qu'elles ne sont pas particulièrement excitées par la vue, en réalité ou en images, d'un corps d'homme nu, elles étaient bien plus excitées par la lecture ou l'audition de récits érotiques ou pornographiques. Ceci peut également aider à expliquer pourquoi les romans "d'amour" se vendent si bien auprès des femmes.

Une autre différence fondamentale qui peut causer des problèmes, c'est que beaucoup d'hommes disent qu'ils veulent plus de contact sexuel que leurs femmes ou leurs maîtresses en veulent. Dans une enquête menée en 1980 auprès de vingt-six mille personnes, la question sexuelle qui provoquait le plus de discussions s'est révélée être la fréquence des étreintes. (La deuxième était le sexe oral.) Chez les couples avec qui j'ai parlé et qui avaient su maintenir un haut niveau d'intimité sexuelle, ce n'était *pas* une question importante. "Deux personnes qui aiment faire l'amour l'une avec l'autre n'ont généralement pas de problème de fréquence", c'est ainsi qu'une animatrice de télévision de Seattle heureuse en ménage résuma la question.

Quand j'ai écrit *Comment faire l'amour à un homme*, j'ai insisté sur le fait que beaucoup d'hommes établissent une distinction entre faire l'amour et avoir une relation sexuelle. Ce fut un des points qui m'attira le plus d'acquiescements entendus de la part des hommes qui assistaient à mes conférences et des hommes journalistes ou animateurs de télévision qui m'interviewaient à la radio et à la télévision. Les hommes, semble-t-il, sentent très fortement que les femmes ne comprennent pas cette dualité qui marque leur comportement sexuel.

Parfois les hommes veulent une relation sexuelle et parfois ils veulent faire l'amour. "Une simple relation sexuelle, c'est comme un bon exercice, dit Jacques, un électricien de Boston. On transpire, on se sent mieux, on fait tomber la tension. Cela vous met en forme pour la journée ou vous aide à vous endormir." On pourrait dire, selon moi, qu'une telle relation exige fort peu de souci de l'autre ou de considération mutuelle et qu'elle représente le plus souvent une activité unidimensionnelle, à sens unique et centrée sur le moi, une activité de détente. Faire l'amour, au contraire, représente, aussi bien pour les hommes que pour les femmes, une expérience à plusieurs niveaux, pleine d'attention et de don et qui implique l'acte physique mais représente bien plus que cela. C'est une expérience complète qui implique deux personnes qui s'aident l'une l'autre à atteindre une plénitude tant émotionnelle que physique; quand on fait l'amour, on éprouve le sentiment essentiel d'avoir donné et reçu. "C'est riche, c'est varié, c'est complexe, ça implique une foule de choses et je veux que ça dure toujours", c'est ainsi qu'une femme de Baltimore décrit cette expérience.

Mais les femmes ne sont-elles pas capables d'apprécier une expérience sexuelle impersonnelle ou banale?

"Avant d'avoir vu le film *À la recherche de M. Goodbar*, je me suis décidée un jour à aller dans un bar pour personnes seules me trouver un homme et le ramener chez moi", m'a dit une jeune femme de trente-deux ans nommée Jeanne, assistant-professeur dans une de nos universités les plus prestigieuses. "Je voulais voir si je serais capable de simplement baiser, sans y mettre la moindre émotion. Et c'est exactement ce que j'ai fait. Mais quand je me suis réveillée je me sentais horriblement mal. Je lui ai fait du jus d'orange et je l'ai renvoyé. Je n'ai même jamais su son nom de famille. Plus tard, je me suis surprise à penser: "J'ai eu exactement ce que je voulais, mais pourquoi est-ce que je me sens si mal?" Pour Jeanne, le sexe anonyme est, pour une raison quelconque, du sexe insatisfaisant et c'est la même chose pour la majorité des femmes à qui j'ai parlé; un élément émotionnel semble nécessaire dans le contact physique intime. Un petit nombre de femmes à qui j'ai parlé ont admis qu'elles appréciaient pleinement des rencontres sexuelles sans importance, mais je soupçonne fort, personnellement, que bien des femmes souhaiteraient pouvoir se livrer plus facilement à des jeux sexuels sans lendemain mais trouvent difficile de le faire sans éprouver de la culpabilité, de l'anxiété ou un sentiment de vide.

Comment franchir le fossé sexuel

Si les hommes sont parfois ou même souvent intéressés aux plaisirs du sexe purement physique, s'ils réagissent à un décolleté plongeant, à des fesses dénudées ou à une image carrément pornographique et si, par ailleurs, les femmes répondent à d'autres genres de stimuli, si les hommes semblent avoir besoin de plus de sexe et les femmes de sexe "meilleur", nous est-il possible de nous rencontrer et de former un couple de façon satisfaisante?

Je pense que la réponse réside dans la prise de conscience et la compréhension des différences d'attitude qui existent entre les hommes et les femmes ainsi que dans une sensibilité aiguë aux besoins particuliers de l'être que vous aimez. Si, par exemple, vous comprenez que les hommes éprouvent souvent un besoin très fort de sexe, purement physique, pourquoi ne pas tenter de voir quelle excitation cela peut vous apporter à vous aussi? Du sexe purement physique avec quelqu'un que vous aimez peut être une expérience fantastique si vous n'y ajoutez aucune attente émotionnelle — tout particulièrement si vous savez que bien faire l'amour en donnant et en recevant constitue une partie essentielle de votre répertoire sexuel.

Si vous sentez que votre mari ou amant adore les sous-vêtements sexy ou qu'il aime les images érotiques, pourquoi ne pas avoir l'intelligence de vous en servir pour l'exciter? Si cela vous embarrasse ou que vous sentez que ce n'est pas votre genre, pourquoi ne pas essayer de trouver quelque chose qui lui fasse plaisir et qui vous plaise à vous aussi? Je connais une femme qui se sent ridicule en sous-vêtements de dentelle noire mais qui, revêtue d'une chaste chemise de nuit blanche victorienne, adore lire à son amant des romans érotiques; et après, tous deux prennent plaisir à regarder les illustrations!

Pour leur part, les hommes doivent constamment se souvenir que la plupart des femmes réagissent au romantisme classique: des chandelles, des fleurs, des gestes tendres, des mots murmurés (pourvu qu'on les dise sincèrement). Voilà ce que la plupart d'entre nous adorent. "Dîner avec un homme dans un restaurant au décor romantique fait vraiment partie de l'art de faire l'amour", explique une divorcée de Minneapolis qui s'est remise à accepter des rendez-vous. "Mais, ajoute-t-elle, la plupart des hommes prennent ça comme une formalité par laquelle il faut passer pour avoir une femme à sa merci." "Je souhaiterais que plus d'hommes sachent que la danse est une forme de préliminaires amoureux", ajoute une autre femme. En dansant avec elle, en lui chantant quelque chose, en parlant et en riant avec elle, l'homme sage comprend pourquoi et comment ces choses, et d'autres encore, font qu'une femme se montre réceptive.

Quelles que soient nos différences innées, culturelles et sexuelles, il existe des façons intelligentes, créatrices et affectueuses de surmonter nos divergences. J'espère que ce livre parviendra à vous fournir un bon point de départ.

IV

Profonde anxiété: Ce que nous craignons le plus dans les relations amoureuses

"Mes peurs sexuelles les plus profondes? Jamais je n'accepterai de les dire à un magnétophone. Appelle-moi ce soir entre six et dix heures", dit la voix enregistrée sur mon répondeur automatique, alors que j'écoutais les messages de la journée. Les intonations plutôt rauques appartiennent à mon amie Barbara, une des femmes les plus sexy que je connaisse.

Au cours d'un dîner en tête à tête deux jours plus tôt, je lui avais demandé si je pourrais l'interroger pour ce livre: une des questions que j'allais lui poser concernerait les peurs qu'éprouvent les femmes au moment de faire l'amour. Sa réponse, j'en étais persuadée, ne manquerait pas d'être des plus intéressantes et des plus éclairantes.

J'achevai d'écouter le reste des messages, saisis mon bloc de sténo et composai le numéro de Barbara. "Bon, lui dis-je, mon stylo prêt à noter, le monde est prêt pour tes révélations." "Tu vas être déçue, m'avertit-elle, j'ai beaucoup réfléchi à tout ça et j'en ai conclu que je n'ai pas le moindre problème quand je fais l'amour ou que j'ai des relations sexuelles, puisque c'est la distinction que tu fais toujours. J'adore le sexe. J'y prends plaisir. Je n'ai jamais eu la moindre inhibition à ce sujet."

"Voyons, Barbara, répondis-je, tu ne vas pas te montrer réticente avec moi? Tu dois bien avoir *quelques* problèmes. Nous en avons toutes."

"Eh bien, dit-elle en hésitant, est-ce que cela irait si je te disais que quand je fais l'amour avec Marc après un gros repas bien arrosé, j'ai toujours peur que mon estomac se mette à gargouiller juste au mauvais moment?"

Barbara est dans la trentaine avancée, elle a une peau magnifique, des yeux bleus et une splendide crinière de cheveux auburn. C'est un écrivain sérieux et arrivé qui a un penchant pour les pantalons de survêtement cramoisi et jaune et les chaussures de tennis, une tendance à faire un peu de ventre si elle ne se surveille pas, qui joue des motets ésotériques à la flûte et qui, deux fois par semaine, va faire la lecture à des personnes âgées. Ce n'est absolument pas le genre Marilyn Monroe et pourtant un certain nombre d'hommes qui sont nos amis communs m'ont dit qu'ils la trouvaient particulièrement attirante et exceptionnellement sexy. Je suis persuadée qu'une des raisons pour lesquelles on considère Barbara comme particulièrement attirante c'est qu'elle est sans peur quand il s'agit de faire l'amour et qu'elle dégage une subtile aura qui dit qu'elle aime aimer. "Écoute, dit-elle, les hommes et les femmes sont nés pour se rencontrer, de quoi pourrait-on bien avoir peur?"

Les hommes sentent la confiance en soi et la liberté de moeurs qui émanent d'elle, et cela les attire. Barbara est une femme qui jouit pleinement de sa sexualité et qui n'éprouve aucune culpabilité des plaisirs qu'elle peut lui apporter. Malheureusement, les femmes comme Barbara sont encore la minorité.

Pour la plupart d'entre nous, la peur est un compagnon de lit bien connu, et ce sont les peurs diverses qui, selon la majorité des chercheurs et des thérapeutes dans ce domaine, représentent le plus grand empêchement à l'amour et à l'acte d'amour. Lorsqu'on parle avec des hommes et des femmes, il est intéressant de constater que chaque sexe éprouve des anxiétés dont les différences sont très marquées sur le plan de la sexualité. Voici les plus communes.

Les problèmes secrets des femmes

Ce paragraphe pourrait tout aussi bien avoir pour titre "la peur du plaisir" ou "les résultats d'une éducation sévère". Des légions de femmes sentent encore qu'il y a quelque chose de "sale" ou de "mal" dans le plaisir ressenti grâce au sexe. Barbara est l'exemple même du contraire. Sa façon naturelle d'être bien dans sa peau et son absence de préjugés sont deux des raisons qui font qu'elle prend tant de plaisir à faire l'amour. Même si la plupart d'entre nous savent pertinemment — dans leur *tête* — que bien faire l'amour est, ou devrait être, une activité agréable, plaisante et merveilleuse, dans la réalité crue de la chambre, toutes portes closes, des sentiments contraires nous envahissent: "Une fille comme il faut ne devrait pas faire ça..." "Il se sentira menacé si je fais *ceci...*" ou "Il ne me respectera plus si j'exige *cela...*" On a écrit bien des livres et bien des articles sur les effets négatifs de ces survivances d'attitudes victoriennes et des forces puissantes sont encore à l'oeuvre pour convaincre certaines femmes que le sexe à son meilleur est une très mauvaise action. Les raisons qui motivent ces attitudes rétrogrades sont psychologiquement et socialement complexes, mais pour les femmes qui sont encore victimes de ce genre de pensées malsaines, il existe une porte de sortie: se donner à soi-même la permission de prendre plaisir à ses réactions sexuelles naturelles. Ne faites rien de ce que vous ne voulez pas faire ou de ce qui vous met mal à l'aise, mais gardez l'esprit ouvert et faites des expériences. Cela ne veut pas dire du sexe "pervers", mais simplement être prête à faire des expériences —

aussi lentement qu'il le faut pour vous — en levant les barrières émotives et physiques, quand vous faites l'amour. Dites franchement à votre mari ou à votre amant que certaines choses vous rendent anxieuse ou craintive; le simple fait de parler de vos problèmes peut faire beaucoup pour les résoudre. S'il veut faire ou vous faire faire quelque chose qui, vous le sentez, est tout simplement au-delà de vos limites, dites-lui que vous n'êtes pas prête à cela — du moins *pour le moment*. Ce n'est pas facile de garder l'esprit ouvert et une attitude de bonne volonté mais c'est nécessaire si vous voulez vraiment faire plaisir à votre partenaire — et à vous-même.

Le complexe de la cellulite

Comme les pires craintes des hommes dans une situation d'intimité physique sont nettement différentes, beaucoup sont surpris d'apprendre que les femmes sont particulièrement vulnérables en ce qui concerne l'image de leur corps.

"Pendant des mois et des mois après mon mariage, je suis sortie de la douche à reculons pour que mon mari ne voie pas mon dos et mes fesses", admet une directrice d'entreprise de Detroit qui, habillée, semble pourtant avoir un dos admirable. "Je suis encore mal à l'aise s'il lui arrive d'avoir un point de vue direct sur mon dos; c'est pour cela que, en m'habillant, je mets toujours d'abord une combinaison..."

Beaucoup d'hommes seraient surpris d'entendre ça, et pourtant bien des femmes m'ont raconté des histoires semblables sur la gêne qu'elles éprouvent de leur corps. Nous nous inquiétons d'avoir les seins qui tombent, une taille enveloppée, des cuisses trop grasses, de la cellulite et presque tout ce qu'il peut y avoir à part ça — y compris, bien sûr, les odeurs et le parfum naturel du corps. En bref, une des craintes sexuelles les plus fortes chez les femmes, c'est la crainte de ne pas être assez désirable. "Grâce à Dieu, un homme sage m'a appris avec beaucoup de ménagements que son absence d'érection venait de la maladresse dont je faisais preuve dans mes caresses et non du faible développement de ma poitrine", m'a dit une femme qui avait grandi avec l'idée que les hommes avaient automatiquement une érection à la vue de belles courbes féminines.

Nous apprécions tous les visages et les corps parfaitement beaux, mais il devrait être évident que la plupart d'entre nous doivent vivre avec leurs imperfections. Se sentir à l'aise dans son corps est sûrement indispensable pour se sentir à l'aise avec le corps d'un autre.

"Est-ce qu'il va penser que je m'y connais trop?"

Certaines femmes craignent qu'un homme pense qu'elles sont "faciles" ou ont eu trop d'aventures si elles laissent paraître leur expérience sur le plan sexuel. Pour illustrer ce point, voici un bon exemple:

"Ma première expérience sexuelle, c'est avec mon mari que je l'ai vécue", se souvient Carla, une femme énergique et jolie qui enseigne en sixième année à Philadelphie. "Au début de notre mariage, Jean semblait très préoccupé par le fait que j'étais bonne au lit. Il a même laissé entendre que je lui avais menti au sujet de ma virginité..." "Et qu'avez-vous fait à ce sujet?" lui ai-je demandé. "Je lui ai dit que j'avais lu un livre sur le mariage — ce qui n'était qu'une partie de la vérité. Des mois plus tard, quand nous nous sommes sentis bien plus à l'aise l'un avec l'autre, j'ai pu admettre devant lui que j'avais simplement fait ce que je sentais devoir lui donner du plaisir. Il lui a fallu un certain temps pour se montrer détendu avec moi et pour réaliser que le sexe est bon aussi pour les femmes."

Bien que certains hommes trouvent qu'une femme sexuellement avertie est une menace, la majorité des hommes que j'ai interrogés m'ont fait part du soulagement et du plaisir qu'ils éprouvent en découvrant qu'une femme est adroite et s'y connaît dans l'art de faire l'amour. "C'est formidable de savoir que vous n'aurez pas à passer par toutes sortes de précautions et de contorsions pour faire tomber un noeud de réticences, m'a fait remarquer un avocat célibataire. Les hommes apprécient une femme qui sait ce qu'elle fait."

Le facteur agression

Bien des femmes craignent que, si elles prennent l'initiative dans l'acte sexuel, leurs partenaires les trouveront trop directes, trop agressives, pas assez féminines. Je pense que ce qui se cache derrière cette théorie, c'est l'idée que l'ego d'un homme est trop fragile pour résister à ce coup direct porté à un rôle traditionnellement masculin: le rôle de force dominante dans une relation sexuelle. Ce genre de conception est manifestement fausse. L'ego de tout le monde est fragile. Il est sans doute plus vrai que la souplesse nouvelle et les changements récents qui se sont produits dans les rôles stéréotypés rendent aussi bien les hommes que les femmes anxieux et incertains quant à ce qui est "trop agressif" ou "trop passif".

Certains hommes réagissent très mal aux femmes qui font les premiers pas dans une situation d'intimité physique. Ces hommes peuvent éprouver des problèmes psychologiques plus profonds qui motivent leur attitude. Mais la plupart des hommes m'ont dit qu'ils préféraient une femme qui prend l'initiative de temps en temps. "De temps en temps" est la formule clé: une femme qui fait toutes les avances et qui dirige toute l'activité sexuelle est aussi peu attirante pour les hommes qu'une femme qui s'étend en soupirant: "Fais ce que tu as à faire." Une femme qui dit: "Ce soir, j'ai envie de te séduire" a plus de chances d'être mieux accueillie qu'une femme qui exige de l'action.

Précisément parce que les rôles de l'homme et de la femme sont en train de changer si rapidement, c'est une affaire délicate pour une femme que de savoir quand, et si oui ou non, elle se montre agressive de façon dérangeante. Ce qu'il est important de garder à l'esprit, c'est peut-être que la plupart des hommes d'aujourd'hui disent qu'ils *veulent* une partenaire au lit qui réagit, qui se montre active et, par-dessus tout, qui sait se montrer leur égale. Si vous êtes mariés ou vivez ensemble depuis longtemps et que vous vouliez assumer un rôle plus actif quand vous faites l'amour, discutez-en avec votre partenaire. Demandez-lui s'il apprécierait un certain changement. Dites-lui que vous avez lu que les hommes d'aujourd'hui semblent aimer les femmes plus actives — est-ce que ça l'intéresse? Si oui — et c'est le cas de la plupart des hommes — vous pourriez suggérer, comme première étape, d'arranger une soirée spéciale où vous le séduiriez mais de façon romantique et non pas agressive.

Les orgasmes: un seul, beaucoup ou pas du tout

La peur de ne pas atteindre à l'orgasme — ou à beaucoup d'orgasmes — est précisément un des plus grands empêchements à l'orgasme. Des multitudes de femmes se plaignent qu'elles n'ont jamais "réussi" à atteindre à des orgasmes multiples et qu'elles craignent de ne jamais y parvenir. L'idée de *réussir* quoi que ce soit dans le domaine de la sexualité peut s'avérer tout à fait nuisible. Vous n'obtiendrez pas d'étoiles d'or sur le front pour le nombre d'orgasmes que vous avez.

La réussite implique un but et il n'existe pas de "buts" spécifiques dans l'acte d'amour. Les recherches ont montré que certaines femmes, pas toutes, ont développé la capacité d'atteindre à de multiples orgasmes et donc qu'une femme peut être multiorgasmique, ou se satisfaire d'un seul orgasme, ou parfois même apprécier faire l'amour tout en n'éprouvant pas d'orgasme du tout.

"Comment lui dire ce que je pense ou ce dont j'ai besoin sans le perdre?"

En plus de la peur d'être trop agressive, il y a aussi la crainte qu'éprouvent les femmes de dire à leurs maris ou amants ce qu'elles ressentent et ce qu'elles veulent sexuellement. Il est difficile de se montrer honnête dans quelque forme de relation que ce soit, et ça l'est davantage dans une relation intime. Si la relation dure depuis un certain nombre d'années et que, pendant ce temps, l'on n'a jamais abordé de front certaines questions, bien des femmes trouvent qu'il est alors impossible d'être sincère et honnête. Le chapitre XII de ce livre, "Mettre son âme à nu", vous donnera quelques façons utiles et précises de dire à votre mari ou amant ce que vous voulez et ce que vous ressentez.

J'ai peur qu'il me quitte...

À divers degrés, nous craignons toutes d'être abandonnées, et toutes les femmes que j'ai interrogées ont admis craindre de se retrouver seules. Bien sûr, les relations changent, les gens évoluent, ils se trouvent de nouveaux défis, ils se quittent, mais les choses n'arrivent pas toutes seules ou sans raison.

Je connais une femme qui a été prise complètement par surprise et presque détruite quand son mari, après sept ans de mariage, l'a quittée pour une autre femme. C'est vrai qu'il est parti de façon très soudaine, mais elle n'avait jamais vraiment pris conscience des indices évidents qu'il lui donnait du fait que leur mariage — et particulièrement leur vie sexuelle — n'allait pas bien. Et elle-même n'avait jamais admis que beaucoup de ses propres besoins, sexuels et émotionnels, n'étaient pas satisfaits. Il était pourtant clair pour presque tous ceux qui connaissaient bien ce couple que leur mariage ne marchait pas. Claire, la femme, fut probablement la seule à être surprise par la disparition soudaine de son mari.

Une thérapeute de New York a qui j'ai parlé m'a dit qu'elle recommande à ses patients de faire une "remise à jour" périodique de leurs mariages. "Les gens devraient prendre le temps d'évaluer où ils en sont, comment ils ont évolué ou changé, à quel point ils se sont rapprochés ou éloignés l'un de l'autre", explique-t-elle. Elle conseille aux couples de faire cela au moins une fois par an et plus souvent encore si leur relation subit des changements rapides ou une pression particulière.

Les plus grandes craintes des hommes

Je pense qu'il est extrêmement difficile pour une femme d'imaginer de façon précise l'anxiété intense que doit affronter un homme dans une situation sexuelle donnée. Nous savons toutes que les hommes doivent "réussir", c'est-à-dire qu'ils doivent avoir une érection pour que l'acte sexuel avec pénétration puisse se produire. Dans l'intimité, un homme ne peut tout simplement pas cacher le fait qu'il est prêt ou non à faire l'amour. Jusqu'à ce que je commence à questionner les hommes sur leurs craintes, je n'avais pas vraiment réalisé à quel point la "peur de ne pas pouvoir", comme disent les psychologues, les affecte. C'est sûrement là le point le plus sensible de tout le champ de la sexualité masculine, et je pense que bien des femmes n'ont qu'une vague idée des problèmes qui peuvent en découler.

Pour la plupart des hommes, la "performance" sexuelle est devenue la manifestation essentielle de leur virilité et la capacité ou l'incapacité dans ce domaine touche aux tréfonds les plus vulnérables de leur moi. "*Aucun homme ne peut commander son érection*", écrivent les sexologues Masters et Johnson (l'italique est d'eux) et à cause de ce phénomène sur lequel ils n'ont pas prise, une foule de craintes et d'anxiétés exclusivement masculines surgissent. "C'est un sentiment de panique, dit un agent immobilier de San Diego, parce que vous ne pouvez jamais savoir si ça va se produire ou non."

Malheureusement, tout comme cela se passe pour les femmes qui ont peur de ne pas pouvoir "atteindre" à l'orgasme, plus un homme éprouve de peur et d'angoisse au sujet de sa performance ou de sa "réussite" à avoir une érection, plus il risque de ne pas en être capable. Je traiterai soigneusement des moyens de minimiser ces anxiétés dans les chapitres suivants.

La performance implique aussi une certaine forme de compétition qui est également nuisible à l'acte d'amour. Un homme se demande toujours s'il est un amant suffisamment adroit, s'il donne à la femme autant de plaisir que son ex-mari ou son ex-amant lui en donnait. Dans l'esprit d'un homme, la taille de son pénis est étroitement liée à son habileté. Là encore, il y a un élément de compétition, bien que la plupart des hommes soient gênés de l'admettre. "La taille du pénis d'un homme, affirme un New-Yorkais que je classerais dans la catégorie des cérébraux, est encore, même dans notre société libérée, une question digne d'attention pour la plupart des femmes et des hommes également, bien que vous n'arriviez pas à le leur faire admettre."

De façon intéressante, j'ai découvert que la plupart des hommes supposent que les femmes sont fascinées par les dimensions des organes génitaux masculins et que les conversations qu'elles ont dans leurs moments libres tournent autour de comparaisons précises quant à la taille, à l'habileté et à l'endurance. Je tiens à préciser que les femmes que j'ai interrogées ont nié cela. Une exception notable, cependant: la très jolie et très brillante rédactrice en chef d'un magazine d'envergure nationale qui, lors d'un déjeuner fin au très chic restaurant "Côte basque" de New York, affirmait sans équivoque:

"La taille, ça compte, pas moyen de se le cacher." Peut-être que sur ce point mineur mais hautement sujet à controverses la vérité est quelque part entre les deux.

Si la performance représente la plus grande peur de l'homme, ses corollaires produisent également de profondes angoisses et il est important que les femmes en soient conscientes: il s'agit de la peur d'une éjaculation prématurée, de la peur d'être incapable de conserver son érection et de la peur de l'impuissance temporaire.

Beaucoup d'hommes se demandent s'ils sont sexuellement semblables aux autres hommes. Ils craignent que leurs besoins et leurs désirs soient anormaux ou même pervers. Ils se demandent s'ils n'exigent (ou ne demandent) pas trop ou au contraire trop peu de leurs femmes ou de leurs maîtresses. Ils craignent d'être des "maniaques", des "obsédés sexuels", ou de glisser vers la perversion s'ils cherchent à accomplir leurs fantaisies, leurs désirs secrets ou encore les deux.

Certains hommes éprouvent également une peur profonde de l'homosexualité. Certains hommes — et certaines femmes — peuvent ne pas être conscients du fait que le spectre de ce qui est considéré comme une hétérosexualité masculine "normale" est très vaste et comprend très certainement des fantasmes et même des expériences homosexuelles.

V

Ce qui attire le plus

Beaucoup de femmes s'imaginent que les hommes sont immédiatement accrochés par de gros seins, une taille mince et des fesses fermes, dures et rebondies, et un aussi grand nombre d'hommes s'imaginent que les femmes sont impressionnées et excitées par des épaules larges, des ventres plats et durs ou par la grosseur des organes génitaux.

Voici ce qui en est: ce qui cause l'excitation sexuelle varie d'un individu à l'autre et dépend d'une myriade de facteurs différents, émotionnels tout autant que physiques. J'ai lu quelque chose à propos d'une femme qui était passionnément attirée par un écrivain pas du tout attirant, parce que sa peau sentait la haie fraîchement taillée. Un Écossais que j'ai interrogé était "fou des jeunes filles en fleurs" et le propriétaire d'un magasin d'antiquités de Denver pense que "le type Rubens intellectuel" représente l'idéal de ce qui inspire la passion. Chacun a son idée personnelle sur ce qui l'excite ou le fascine, et même là, les réactions peuvent changer à tout moment. C'est pourquoi il ne peut malheureusement pas exister de recensement absolument infaillible de ce qui excite. Cependant, certaines idées, certaines phrases, reviennent sans cesse lorsque les hommes et les femmes discutent de ce qui est le plus attirant sur le plan sexuel.

Si vous demandez à un homme: "Qu'est-ce qui vous excite?" il y a de grandes chances qu'il prenne plus de temps qu'une femme à vous répondre. Il semble qu'un homme passe d'abord au crible l'aspect physique avant de se fixer sur les choses les moins évidentes, sur des points plus émotionnels qui prennent beaucoup de sens pour lui. Un professeur de droit exprime ça crûment: "C'est d'abord les nichons et le cul qui me viennent à l'esprit... puis, en y réfléchissant, des choses bien différentes, comme savoir s'accepter, savoir m'accepter comme je suis." Lorsqu'un homme, un contremaître en construction nommé Vincent, a inversé les rôles en me demandant: "Voulez-vous dire: ce qui m'excite pour une aventure rapide ou pour une relation à long terme, c'est-à-dire pour une relation en vue d'un mariage?", j'ai réalisé que, dans ce domaine, les hommes pensaient également de deux façons. J'ai répondu: "Les deux", après avoir remarqué qu'il portait une large alliance en or. "Et bien, laissa-t-il finalement tomber, il existe une femme nommée Rita qui m'excite beaucoup." "Comment cela? ai-je insisté, est-ce que c'est votre petite amie ou votre femme?" "Elle est *les deux*, a-t-il répondu, avec un gros clin d'oeil et un large sourire, et c'est *de cette façon* qu'elle m'excite."

J'ai entendu souvent, pendant ces interviews, le mot "féminine". Lorsque j'insistais pour savoir ce qu'on pouvait bien vouloir dire par ce terme vague, ce que j'obtenais de mieux en guise de définition c'était quelque chose comme ça: "Une femme qui fait tout ce qu'elle a à faire pour me faire sentir un homme." Cela s'applique aussi bien sur le plan physique que sur le plan émotionnel et va du port de sous-vêtements de satin minuscules et de la pratique adroite du sexe oral à l'art de servir le thé de l'après-midi. Un artisan à la barbe blonde m'a dit: "Je suis excité par une femme quand je sens qu'il est possible que je l'emmène n'importe où. Je pense que j'appellerais ça de la "classe naturelle"."

Pour résumer les diverses réponses reçues d'hommes mariés et de célibataires, j'ai constaté que 95 pour cent décrivaient une femme excitante comme quelqu'un d'assuré et de confiant en soi. Voici les termes utilisés le plus fréquemment par les hommes pour parler des femmes qui sont tout particulièrement attirantes pour "le long terme", comme le disait si succinctement Vincent.

confiante / sûre d'elle
compréhensive
sensible / attentive
intelligente
sensuelle
subtile
énergique / vivante
féminine, très féminine
soignée dans sa tenue vestimentaire
en forme

Comme on pouvait s'y attendre, les femmes ont des critères très différents sur ce qui leur fait remarquer tout spécialement un homme. Beaucoup de femmes décrivent deux genres d'attirances, mais ils sont très différents de la distinction qu'apportent les hommes entre le long terme et le court terme. "Il y a le genre excitation au lit et le genre excitation avant d'aller au lit", dit une artiste réfléchie de Manhattan qui est dans la trentaine. "Un homme qui est sûr de lui est terriblement attirant mais *quand nous arrivons au lit, ce qui m'excite vraiment, c'est son désir pour moi.*" J'ai souligné ses derniers mots parce que je les ai entendu répéter sans cesse par des femmes de tous âges.

"J'aime un homme qui prend les choses en main. Le pouvoir, c'est sexuel", dit une femme d'Atlanta. "Les hommes qui sont capables de pleurer, dit une doctoresse de Toronto, sont vulnérables et c'est ça que la plupart des femmes cherchent dans un homme." "Le sens de l'humour est un baromètre de la façon dont un homme se comporte au lit. Un homme avec qui je devais avoir une *blind date* m'a téléphoné la semaine dernière pour me fixer un rendez-vous. Il n'avait pas le moindre sens de l'humour et je pouvais dire rien qu'en lui parlant au téléphone qu'il n'était pas sexy", raconte une femme qui se fait ainsi l'écho du plaisir qu'éprouvent presque toutes les femmes à rencontrer un homme qui a le sens de l'humour. Voici ce qui attire le plus les femmes chez un homme, aussi bien avant d'aller au lit qu'au lit:

intelligent / brillant
confiant / sûr de lui
romantique
spontané
compréhensif
sensible / vulnérable
sachant communiquer
enrichissant
flexible
affectueux
ayant le sens de l'humour
adroit de ses mains

Comme on peut le voir, une comparaison des deux listes s'avère très révélatrice. Établir la liste de ce qui vous attire chez votre partenaire et partager cette liste avec cette personne peut contribuer à renforcer les points positifs de votre relation et peut même s'avérer une excitation en soi.

VI
Mettre son corps à nu

“Le problème a commencé à peu près au moment où j'ai cessé de porter des vêtements moulants pour acheter des tuniques amples à porter par-dessus des pantalons lâches. Puis je me suis mise à trouver des trucs pour que Michel ne remarque pas que j'avais pris du poids. Je me mettais toujours au lit la première et je me couchais sur le dos pour que tout se tasse et que mon ventre paraisse encore plat. Puis j'ai découvert que, couchée, mes cuisses paraîtraient plus minces si je repliais un genou en gardant l'autre jambe tendue. À la plage, j'ai mis au point une adroite manoeuvre pour m'asseoir de façon à n'avoir jamais à me déshabiller debout, ce qui aurait permis à tous de voir que j'étais en train de devenir semblable au bonhomme des pâtisseries Pillsbury...”

Julie a quarante-huit ans et son histoire est une des plus communes qui soient. Cinq ou dix kilos de graisse qui s'accumulent lentement avec les années, et les produits Atkins, Stillman, Scarsdale et Southampton ne peuvent arrêter ça que de façon temporaire. Julie avait peur que Michel, à qui elle était mariée depuis près de vingt ans, ne la trouve plus désirable. Avait-elle jamais songé à lui demander carrément ce qu'il pensait de son corps? lui ai-je demandé. Non, elle n'y avait pas pensé.

Quelques jours plus tard, une Julie nettement soulagée m'appelait pour me faire le rapport suivant: "J'ai demandé franchement à Michel s'il trouvait que j'avais pris trop de poids. Je ne pouvais pas croire qu'il ne semble pas vraiment s'en préoccuper. Bien sûr, il l'avait remarqué, mais il m'a dit que les hommes aiment de légères bedaines parce que ça forme de très agréables "petits oreillers"!"

Beaucoup de femmes sont exagérément critiques au sujet de leur apparence. Nous avons tendance à nous juger trop sévèrement sur l'image que projette notre corps. Pourquoi ne pas vérifier ce qu'il en est vraiment en demandant à nos partenaires ce qu'ils pensent de nous? Cela nous épargnerait beaucoup d'angoisses inutiles. Julie a découvert que Michel l'aime telle qu'elle est. "La plupart des femmes vivent avec une mentalité de mannequin: l'idéal c'est la minceur. Mais vous vous apercevrez que les hommes aiment généralement une femme plus forte que cela. Marilyn Monroe n'a jamais ressemblé aux pages de *Vogue*", soutient Michel, et beaucoup d'hommes affirment qu'ils ne sont absolument pas aussi rebutés par quelques kilos de trop que les femmes se l'imaginent avec tant de certitude. "Un homme (ou une femme) qui est obsédé par le corps "parfait" va se retrouver à chercher sans fin une perfection irréelle et impossible, dit une très belle actrice que j'ai interrogée à Hollywood. Une telle personne cherche seulement un corps, elle ne cherche pas une relation."

Supposons, cependant, que Michel, lorsque sa femme lui a posé la question, ait répondu qu'il préférerait une Julie plus mince. Au moins aurait-elle su alors exactement ce qu'il ressentait et cela aurait été à elle de prendre la responsabilité de perdre un peu de poids de façon permanente, si du moins elle l'avait voulu *elle* aussi.

J'ai été récemment invitée dans un studio de santé en Floride. Les installations sanitaires luxueuses avec leur marbre gris et leurs tuiles blanches sont séparées: les hommes d'un côté, les femmes de l'autre. Mais les deux sexes se rencontrent pour des dîners fins de faible teneur en calories. Un soir j'ai mis sur la table le sujet de la nudité des corps, me demandant tout haut si les hommes éprouvaient sur ce point le même genre d'anxiétés que les femmes.

L'avis général a été que les hommes connaissent certaines anxiétés quant à leur aspect physique mais qu'ils ne verbalisent pas ces problèmes autant que les femmes. Ils ne semblent pas se sentir obligés de revenir sans cesse sur le sujet de la graisse, par exemple. Un homme pourtant, un producteur de télévision de Los Angeles, a admis qu'il essayait d'éviter le plus possible de montrer son corps. "Quand quelqu'un propose d'aller à la plage, je dis toujours "Non merci, je ne supporte pas le soleil" ou alors je m'assure que tous les participants sont nettement plus vieux que moi." On m'a cité comme points particulièrement sensibles les bedaines, les poitrines et les biceps peu développés, les jambes trop maigres et les "poignées d'amour". Un des instructeurs a résumé la situation en disant: "les femmes d'aujourd'hui remarquent plus un homme avec de bons pectoraux et elles sont attirées par des fesses musclées. Tout le monde est vraiment centré sur le corps, à cause de la vogue du conditionnement physique."

Il est triste d'apprendre que beaucoup d'hommes et de femmes font l'amour la lumière éteinte ou en gardant leurs pyjamas et leurs chemises de nuit parce qu'ils ont peur de leur apparence physique. Nous naissons tous avec un peu ou beaucoup de tout: intelligence, énergie, sensibilité, beauté physique. "Il est plus facile d'accepter son propre corps si l'on s'applique à l'aimer et à en prendre soin, dit un thérapeute de San Diego. Un ou deux soirs par semaine passés à transpirer côte à côte sur des appareils Nautilus peuvent faire des miracles pour une relation", observe-t-il avec une grande conviction, et il ajoute: "Presque n'importe quel exercice contribue à augmenter la sensualité parce que vous êtes ainsi plus en contact avec votre corps et avec vos sens. Cette prise de conscience sensuelle est particulièrement importante pour une bonne sexualité!"

L'histoire qui va suivre devrait être une inspiration pour les femmes qui ont de la difficulté à accepter leurs corps. Un de mes amis intimes qui est un photographe célèbre faisait l'été dernier une série de photos de mode sur l'île de Nantucket, au large de la Nouvelle-Angleterre. "Je photographiais des bikinis très sexy, raconte-t-il, et nous avons décidé de prendre une pause café. J'ai marché le long de la plage pour me changer les idées. Il y avait une femme qui venait vers moi en sens inverse, parlant et riant avec deux adolescents. C'était une plage très retirée et, comme presque tout le monde, elle ne portait qu'un bas de bikini et pas de soutien-gorge mais elle était différente: elle avait subi l'ablation d'un sein. Son pas était si assuré, son attitude si confiante que l'opération était vraiment devenue un détail secondaire."

La morale est évidente: ce n'est pas tant l'aspect de votre corps qui compte que la façon dont vous vous sentez à son égard et la façon dont vous transmettez ce message aux autres. Si vous vous sentez bien dans votre peau, les autres aussi se sentiront bien avec vous.

VII

L'art de la séduction

Le vol no 12 d'American Airlines en provenance de Los Angeles devait atterrir à New York à 19 h 30. Nous allions être au moins une demi-heure en retard, nous informa le pilote avec la voix traînante de rigueur. Il y avait un embouteillage au-dessus de l'aéroport Kennedy et nous gardions une route d'attente. J'avais passé la durée de ce vol transcontinental à réviser soigneusement un article que je devais remettre à 9 h 30 le lendemain matin. En entendant l'annonce du pilote, j'ai commencé à sentir tout le poids des cinq jours précédents pleins d'une activité fébrile et celui des quatre dernières heures de réécriture intense à en donner des crampes. Mon dos et mes épaules étaient noués et crispés et j'avais mal à la tête.

Enfin, plus d'une heure plus tard, l'immense 747 s'est immobilisé devant la porte. J'étais crevée et j'appréhendais d'avoir à traîner ma lourde valise hors de l'avion et d'avoir à affronter la foule d'irritables voyageurs du dimanche soir qui se battent pour un taxi.

En descendant la rampe qui mène au terminal, j'ai soudain senti que quelqu'un prenait la poignée de mon sac. Je ne pouvais en croire mes yeux: c'était mon mari,

Normand, qui me donnait un interminable baiser et m'aidait à franchir les portes vitrées coulissantes.

"Qu'est-ce que tu fais là? demandai-je stupéfaite et ravie. Tu avais dit que tu devais travailler tard ce soir."

"Le travail a été annulé, expliqua-t-il, et j'ai une surprise pour toi." Il m'emmenait vers une immense voiture étincelante et faisait signe au chauffeur d'ouvrir le coffre pour y placer les bagages.

"Qu'est-ce que c'est que ça, demandai-je, quelle extravagance as-tu encore en tête?"

"Assieds-toi, détends-toi et parle-moi de ton voyage", dit-il.

Quand j'eus fini de défiler ma litanie de plaintes et de frustrations et qu'il m'eut mise au courant de ce qui se passait à la maison, j'ai réalisé que nous ne rentrions pas chez nous. Nous nous étions arrêtés devant un immeuble sans fonction définie sur une rue quasi déserte du centre de Manhattan et il me menait par la main vers un vieil ascenseur qui nous amena au troisième étage. Il y avait un signe discret sur la porte, mais c'était du japonais. Complètement déroutée, j'entrai dans un hall tranquille recouvert de tapis épais qui menait à une grande pièce carrée à l'éclairage doux et tamisé, meublée de plusieurs divans de cuir luxueux et invitants. Une jeune femme vêtue d'un court uniforme blanc et de pantalons noirs serrés (pieds nus) nous accueillit et nous demanda ce que aimerions boire: "Du Perrier, du vin ou peut-être du scotch?", proposait-elle.

"Où sommes-nous? Qu'est-ce qui se passe ici?", demandai-je à Normand.

"Tu verras", répondit-il d'un ton mystérieux.

Je vis du coin de l'oeil deux Japonais qui sortaient de l'ascenseur et étaient accueillis par une autre jeune femme. J'avais la vague impression que, pour quelque raison incroyable, étrange et impossible à déterminer, mon mari m'avait amenée dans un bordel bizarre!

Nous avons siroté nos verres pendant environ dix minutes; Normand ne m'avait toujours pas révélé ce qui allait se passer. La jeune femme revint et nous dit: “Venez changer de vêtements, s’il vous plaît.” Elle nous conduisit à une petite pièce carrée avec des lumières douces, un grand miroir et des casiers. Elle nous montrait du doigt deux grandes serviettes posées sur une étagère. Je regardai Normand.

“C’est pour que tu t’enveloppes dedans”, me dit-il en me prenant dans ses bras pour me rassurer.

La jeune femme revint pour nous escorter le long d’un corridor étroit jusqu’à une porte en bois.

“Voilà”, dit-elle en ouvrant la porte d’un petit sauna.

Cinq minutes plus tard, on nous conduisit à une pièce rectangulaire qui était recouverte — plancher, plafond et murs — de tuiles d’un vert marin pâle. Deux baignoires qui ressemblaient vraiment à deux petites piscines, d’environ un mètre de profondeur, un mètre de long et un mètre de large, étaient là côte à côte, remplies d’eau.

“Commencez par celle-là, puis passez dans l’autre”, nous conseilla la laconique jeune femme, montrant tour à tour les deux baignoires.

La première était remplie d’eau très chaude tourbillonnante. À moitié assis, à moitié flottants, nous avons siroté des verres d’eau fraîche et j’ai commencé à sentir que la tension qui nouait mon cou était en train de disparaître. J’aurais pu rester là éternellement, mais un coup frappé discrètement à la porte nous signala qu’il était temps de passer dans l’autre baignoire.

Nous plongions maintenant dans de l’eau froide et limpide. Après quelques minutes, nous nous sommes enveloppés dans des serviettes fraîches épaisses et nous avons attendu qu’on vienne nous conduire à notre prochaine destination sybaritique.

Ce fut une pièce rectangulaire étroite meublée de deux longues tables basses recouvertes de draps blancs. Une petite lampe à abat-jour posée sur une table noire diffusait une lumière faible. Deux femmes, toutes deux en uniforme blanc et pantalons noirs serrés, nous firent signe de nous allonger sur les tables. Elles nous enveloppèrent dans d'autres serviettes.

Ce qui suivit fut le paradis. Pendant l'heure suivante, on nous a pétris, tapotés, manipulés et frottés, comme l'exigent les règles du massage oriental de type shiatsu. Les masseuses nous ont même marché sur le dos en se servant de leurs pieds et du poids de leurs corps comme instruments de massage. Le résultat: une détente totale, les douleurs et la raideur envolées et une merveilleuse sensation flottante de bien-être.

Normand m'avait amenée dans un studio de santé à l'asiatique dont les clients assidus étaient des danseurs de ballet, des athlètes et des gens comme nous qui avaient seulement besoin de se détendre après une journée ou une semaine particulièrement difficile. Le service comprenait des méthodes classiques, vérifiées au fil des âges, pour faire tomber le stress et la tension aussi bien physiques que psychologiques, toutes choses que l'on peut facilement adapter à un usage domestique.

À moins que vous ne vous sentiez détendu et à l'aise, vous ne prendrez pas plaisir à faire l'amour. Les techniques qui vont suivre contribuent à la détente physique et mentale. Utilisez-les toutes ou une seulement pour passer d'une situation de stress à une situation plus détendue et plus agréable.

Un endroit calmant. L'éclairage de l'endroit que j'ai visité était doux et tamisé, et le personnel parlait à voix basse et plaisante. Essayez de créer dans votre chambre une atmosphère de sérénité et de calme; les lumières fortes, la musique rock, la télévision et le téléphone qui sonne s'avèrent préjudiciables à votre état. Si vous pouvez écarter les distractions de ce genre, vous aurez fait le premier pas pour donner à une rude journée une douce conclusion.

Un verre. Prenez le temps de vous asseoir ensemble devant un verre d'eau glacée, du thé aux herbes ou de vin léger. Évitez les conversations concernant le travail ou les problèmes familiaux (il vous faudra une certaine discipline) et tenez-vous-en à des conversations sur des sujets agréables qui ne prêtent pas à controverse.

Un bain ou une douche. Presque sans exception, les couples auxquels j'ai parlé et qui vivaient un haut degré d'intimité sexuelle m'ont dit qu'ils prenaient des bains ou des douches ensemble aussi souvent que possible. Physiologiquement, l'eau chaude ou très chaude aide à détendre les muscles et à chasser la tension; psychologiquement, cela fait naître un sentiment de sécurité et d'intimité. Une douche tiède ou froide, après un bain chaud, aide à équilibrer la température du corps et contribue à une plus grande relaxation. Un bain devient doublement plaisant si vous allumez quelques petites bougies, que vous parfumez l'eau et que vous écoutez une musique douce en fond sonore.

Un massage. Le massage peut être un but en soi ou représenter la préparation idéale à l'amour. Les bienfaits du massage en tant que prélude à l'amour sont connus depuis des siècles, mais ce sont les sexologues Masters et Johnson qui ont vraiment souligné son importance thérapeutique pour les couples d'aujourd'hui. Dans les cliniques de Masters et Johnson, les couples qui viennent chercher de l'aide pour leurs problèmes sexuels sont menés à travers les diverses étapes de l'intimité sexuelle, à commencer par la caresse du dos, du visage, des bras et des jambes. Ce genre de caresse relaxante, ni appuyée ni menaçante, n'est qu'une variation ou un combiné de techniques de massage que n'importe qui peut maîtriser.

Il existe bien des genres de massages. Le shiatsu, le très ancien massage oriental que j'ai apprécié après mon voyage en Californie, est habituellement administré par un expert qui a suivi un entraînement pendant de nombreuses années. Le massage suédois vient de techniques chinoises de manipulation physique, et ce sont aussi des experts qui l'administrent. Cependant, avec un peu de pratique, un débutant peut aussi utiliser les techniques du massage de relaxation suédois combiné aux très simples caresses du massage sensuel ou amoureux.

Le massage suédois classique comprend cinq caresses de base (avec des noms français). Beaucoup d'experts recommandent d'utiliser un lubrifiant doux comme l'huile de bébé ou la lotion de corps parfumée. Commencez avec les bras et continuez avec:

les jambes,
la poitrine,
l'abdomen,
l'arrière des jambes,
le dos.

Voici les mouvements et la façon de les faire. Faites les caresses dans l'ordre indiqué ci-après et essayez de garder vos mains en contact constant avec le corps de votre partenaire. Beaucoup de masseurs commencent souvent par placer doucement et de façon rassurante leurs deux mains sur le ventre puis, sans perdre le contact, ils les bougent doucement vers les jambes pour commencer le massage proprement dit.

*L'effleurage**. Avec les deux mains, faites de longues caresses glissantes, sans à-coups, à partir des jambes et en direction du coeur.

*Le pétrissage**. Avec les pouces ou les mains, pétrissez, pressez ou comprimez les muscles, en effectuant de petits mouvements circulaires.

*La friction**. Faites des cercles en direction de la colonne vertébrale, en appuyant avec les paumes. Sur les bras et les jambes, servez-vous des pouces et du bout des doigts et faites des cercles autour des articulations. Faites suivre cela d'une autre séance d'"effleurage".

*Le tapotement**. Donnez de petits coups rapides répétés, avec le plat de la main, le côté de la main avec le petit doigt comme point de contact ou les poings fermés.

---

* En français dans le texte. *(N.d.T.)*

*La vibration**. Placez fermement les mains ou les doigts sur le corps et faites-les vibrer en pressant et en les agitant rythmiquement. Déplacez vos mains rapidement et sans à-coups sur tout le corps.

Combiner ces caresses traditionnelles ou les faire suivre d'un massage sensuel est un des secrets des grands amoureux. Un massage sensuel implique simplement de longues caresses douces, attentionnées et amoureuses, des pressions légères, un pétrissage délicat et le frottement de toutes les parties du corps. Le massage sensuel ou le combiné (massage suédois — massage sensuel) détend vos deux corps, vous met en contact physique l'un avec l'autre et, ce qui est le plus important, écarte toute idée de performance. L'homme qui a des problèmes d'érection sera reconnaissant à une femme d'oublier ses organes génitaux et de commencer par lui frotter le dos ou par détendre ses mains et ses pieds contractés. Les femmes apprécient les massages non seulement pour la détente bienfaisante qu'ils procurent de façon évidente, mais aussi parce qu'ils procurent un contact physique étendu, contact souvent nécessaire en tant que stade préliminaire de l'excitation sexuelle.

La première étape d'un simple massage de détente évite les zones érogènes. Vous pouvez en rester là ou passer à la seconde étape qui peut, si vous le souhaitez tous deux, comprendre des touchers et des caresses plus spécifiquement érotiques, combinés aux mouvements traditionnels du massage. Des mouvements réguliers, appuyés et fluides détendent les muscles et le corps tout entier. Il ne faut pas interrompre le rythme de vos caresses et de vos attouchements, mais vous pouvez maintenant commencer à les faire porter également sur les seins et les organes génitaux. Les zones érogènes devraient être traitées avec douceur et avec un toucher délicat, à moins que votre partenaire ne demande le con-

---

* En français dans le texte. *(N.d.T.)*

traire. Vous pouvez désirer vous arrêter là après vous être donné l'un à l'autre un massage complet mais il est plus probable que vous voudrez continuer et faire l'amour.

Un nombre limité d'hommes et de femmes à qui j'ai parlé ont soulevé le problème des personnes chatouilleuses. Les chatouilles indiquent des zones vulnérables ou extrêmement sensibles. Appuyer davantage sur la zone chatouilleuse réduit souvent la sensation désagréable, mais si cette zone est hypersensible, oubliez-la ou ne la caressez qu'avec la permission de votre partenaire. Chatouiller peut être un acte agressif qui provoque une réaction négative: la contraction et la perte de confiance.

Une technique de relaxation à deux fort simple

On a beaucoup écrit sur les techniques de relaxation, et la plupart des gens en ont entendu parler. J'en inclus cependant une ici parce qu'elle est facile et agréable à faire à deux. Servez-vous-en pour vous détendre après une journée de stress ou comme un préliminaire à l'amour ou au massage, ou encore comme un moyen de vous endormir ensemble plus facilement. Le tout dure environ dix minutes.

Étendez-vous sur un matelas dur ou sur le sol, les bras le long du corps. Fermez les yeux et prenez quelques respirations profondes. Pensez d'abord à vos pieds. Oubliez tout le reste. Puis commandez mentalement à vos pieds de se détendre: "Mes pieds se détendent, ils deviennent lourds et détendus..."

Puis passez à vos chevilles: "Mes chevilles se détendent, je les laisse aller." Donnez ensuite les mêmes instructions au bas de vos jambes, puis au haut, en vous concentrant sur une seule partie de votre corps. Continuez avec votre dos, votre abdomen, vos épaules, le haut de vos bras, le bas, les mains et les doigts. Enfin, concentrez-vous sur votre cou, votre bouche, vos yeux, toute votre tête, en vous disant à chaque fois de "laisser aller". Dites-vous pour finir que votre corps tout entier est maintenant détendu et lourd, que vous êtes parfaitement immobile, réchauffé et détendu. Alors, effectuez un compte à rebours à partir de dix, en détendant votre corps au complet, de plus en plus à chaque chiffre. "Dix, je suis détendu, paisible, mon corps est lourd. Neuf, je le laisse aller de plus en plus... Huit, je suis en paix et détendu..." et ainsi de suite jusqu'à un. Restez immobile pendant une ou deux minutes, en respirant profondément et régulièrement et en savourant la paix et le calme qui règnent dans votre corps tout entier.

Vous pouvez aussi faire cet exercice l'un avec l'autre. Chacun son tour, l'un des partenaires donne à l'autre les instructions ("Tes pieds se détendent, ils deviennent lourds et détendus..."), d'une voix égale et douce. Certains couples trouvent que cette technique est encore plus efficace si elle est accompagnée d'une musique douce et relaxante.

VIII

Un sujet délicat *

En rassemblant les données de ce livre, j'ai toujours constaté — ce qui m'a surprise — que les hommes et les femmes perçoivent et vivent la sexualité et l'amour physique différemment. La question des attouchements met particulièrement en lumière ces différences. Si les hommes et les femmes en arrivaient à comprendre à quel point nous différons les uns des autres, à comprendre également comment satisfaire les besoins de l'autre et, par-dessus tout, comment et où se toucher l'un l'autre, ils seraient bien plus capables de se faire l'amour l'un à l'autre, dans le plein sens de cette expression.

Il y a plusieurs décennies, des recherches ont révélé que les bébés ont besoin d'être touchés, d'être tenus et dorlotés pour pouvoir survivre. Des recherches plus récentes fournissent des informations tout aussi intéressantes: à partir de six mois, on prend et on touche les filles plus souvent que les garçons. Certains théoriciens avancent l'hypothèse que la mère peut ne pas toucher son fils parce que inconsciemment elle essaie d'éviter de

---

* *A Touchy Subject*, jeu de mot intraduisible entre *touchy* (délicat, gênant) et *touch* (toucher). *(N.d.T.)*

le séduire et que le père se retient de trop le toucher afin d'"en faire un homme". D'autres chercheurs pensent qu'il existe assez de preuves pour pouvoir affirmer que les femmes sont plus sensibles au toucher sur tout le corps que ne le sont les hommes. En d'autres termes, la petite fille ou la femme *ressent* plus le toucher, est donc plus sensible au toucher et par conséquent en veut plus.

La quantité de touchers échangés entre les personnes varie incontestablement d'une culture à l'autre. Les Méditerranéens s'embrassent et s'étreignent sans arrêt. La plupart des Américains ont plutôt la tendance contraire. Et il n'est pas nécessaire d'être un savant pour remarquer que les petits enfants, en particulier les filles, aiment toucher beaucoup leurs mères et leurs pères mais on leur apprend tôt, verbalement ou non, que c'est inacceptable. Nous, les Américains, semblons "déprogrammer" notre sensualité et notre amour du toucher innés pour les remplacer par des contacts flottants, codifiés, antiseptiques. Il est intéressant de constater que les salons de beauté s'adressent surtout aux femmes. Là nous pouvons nous rassasier de ces expériences sensuelles que sont la coupe et le coiffage des cheveux, les massages faciaux, les soins des manucures et des pédicures et tout cela sans nous sentir coupables. La plupart des hommes, au contraire, ne s'attardent pas chez le coiffeur; ils s'assoient dans le fauteuil et en sortent aussi vite qu'ils le peuvent.

Le toucher peut exprimer un sentiment chaleureux, le fait de se sentir proche et il mène à la confiance physique qui est une des bases de l'intimité. Nous avons besoin du toucher pour communiquer notre tendresse, notre affection, notre amour, mais nous avons aussi besoin du toucher tout simplement pour toucher... c'est le moyen le plus radical de se sentir bien.

Quand un couple peut apprendre à se toucher de la façon qui répond aux besoins de chacun, une bonne partie de l'anxiété causée par des problèmes sexuels — et certains des problèmes eux-mêmes — commencent à disparaître.

Les nuances du toucher

Le toucher se divise en deux catégories:
- le toucher affectueux ou non sexuel;
- le toucher érotique ou sexuel.

Nous commençons à voir clairement les différences entre les hommes et les femmes en ce qui a trait à ces deux types de touchers. La plupart des femmes établissent une distinction entre ces deux types de contacts, c'est-à-dire qu'elles distinguent le toucher sexuel du toucher affectueux presque de la même façon que les hommes, consciemment ou inconsciemment, distinguent le sexe purement physique de l'acte d'amour. La plupart des hommes ne réalisent pas que le toucher non sexuel ou affectueux est cependant crucial dans la réaction sexuelle de la plupart des femmes. Des touchers et des baisers prolongés ainsi que des caresses sur tout le corps — touchers non sexuels, s'entend — sont aussi essentiels pour préparer les femmes à faire l'amour que le sont les touchers érotiques, spécifiquement le toucher des seins et des organes génitaux.

Beaucoup de femmes sentent que le toucher d'un homme contient une "demande" d'étreinte. Un tel toucher peut ainsi provoquer la réaction contraire chez celle que vous désirez. Vous touchez et vous caressez votre partenaire, mais, au lieu de réagir avec chaleur, elle devient de plus en plus froide. Comme le dit une femme de trente-huit ans récemment divorcée: "Si je sens que le toucher d'un homme veut dire qu'il veut "plus" que cela, mon corps se bloque instantanément. Et je peux dire que ce n'est pas un bon amant." Le problème de l'homme, cependant, c'est qu'il est difficile pour lui, à cause d'un entraînement psychologique et social subi très tôt, de toucher une femme sans mettre une certaine "demande" dans sa caresse. Avant de pouvoir commencer à effacer le problème de la “demande”, examinez un peu avec moi la façon dont les hommes ressentent le toucher.

Beaucoup d'hommes ont vraiment peur de toucher. Un conditionnement précoce les a amenés à croire qu'ils sont des “tatas” s'ils veulent être touchés, caressés ou étreints. Aussi n'est-il pas surprenant qu'ils évitent de donner ou de recevoir des touchers à caractère non sexuel.

La façon dont les hommes réagissent au toucher est encore plus révélatrice que la peur de toucher. Ils perçoivent généralement le toucher en termes sexuels. Si une femme prend un homme dans ses bras ou l'étreint, il ne prendra pas ça, comme elle, comme un simple témoignage d'affection ou d'amitié, mais plutôt comme un prélude à une activité sexuelle. Les hommes ont tendance à lier le toucher à un but, un but sexuel. Pour compliquer encore le problème, comme la plupart des hommes préfèrent la stimulation génitale directe et immédiate, ils ont tendance à prendre le toucher non sexuel comme un devoir, quelque chose qu'il faut faire pour “faire plaisir” à une femme. Pour beaucoup d'hommes, le toucher sans caractère sexuel ne représente qu'une série de haltes sur le chemin du toucher génital, et c'est exactement pour cette raison que les femmes ressentent leur toucher comme une “demande”.

Ce qu'il faut aux femmes ce qu'il faut aux hommes

Peut-être que la meilleure façon de combler ce fossé du toucher consiste à explorer ce dont ont besoin exactement hommes et femmes dans le royaume des sens. Les femmes ont besoin de beaucoup de toucher, aussi bien sexuel que non sexuel et, à les entendre, les hommes sont, de façon décourageante, incapables de satisfaire leurs besoins sur ce plan. Voici quelques idées de base qui devraient aider les hommes.

- Les femmes peuvent faire immédiatement la différence entre un toucher avide, exigeant ou agressif et un toucher chaleureux, tendre, affectueux.
- Les femmes ont besoin d'énormément de touchers affectueux. Imaginez la quantité de touchers, de caresses et d'étreintes que peut désirer une femme, multipliez ça par trois et vous obtiendrez probablement une idée plus juste de la quantité de contacts physiques que beaucoup de femmes aimeraient avoir.
- La plupart des femmes préfèrent un toucher léger comme une plume sur tout le corps: à mesure que leur excitation sexuelle augmente, le toucher peut se faire plus appuyé.
- Les diverses parties du corps exigent des types de touchers et de pressions différents. C'est particulièrement vrai pour les seins et les organes génitaux. Un toucher qui ne varie pas est perçu comme mécanique et n'exprime pas de sensibilité pour la femme ou pour son corps.
- La réaction au toucher varie énormément d'une femme à l'autre et, pour la même femme, elle peut également varier d'un jour à l'autre et quand on fait l'amour, cela peut même varier d'un instant à l'autre.
- Le toucher ne doit pas cesser avec la fin de l'acte sexuel. Les femmes ont besoin de touchers chaleureux et affectueux après l'acte sexuel tout autant que pendant et avant.

L'anthropologue Margaret Mead de même que des chercheurs plus contemporains ont fait remarquer que *le corps entier d'une femme peut être érogène*. Les lèvres, les seins et les organes génitaux sont des zones érogènes évidentes mais presque toutes les autres parties du corps réagissent à la caresse. Beaucoup de femmes disent que les hommes négligent souvent les pieds, les mains et les oreilles. Un bon amant pourra mieux agir s'il sait que presque chaque pouce d'un corps de femme peut être excité par de légers baisers ou de douces morsures ou lorsqu'on souffle dessus ou qu'on le lèche.

La tête est une des zones érogènes les plus négligées. Une femme m'a dit que le geste le plus séduisant et le plus érotique que pouvait lui faire son mari consistait à brosser ses longs cheveux lentement et sensuellement. Un autre amant délicat caressait doucement le corps entier de sa femme avec un petit tampon doux généralement employé pour mettre de la poudre sur le visage. Un autre homme, d'un genre plus flamboyant, est allé, aux dires de sa fiancée qui rapporte généralement les faits de façon fiable, jusqu'à manger de la confiture de framboise sur ses orteils dans un café de San Francisco. "J'ai été prise par surprise, dit-elle, mais je venais de chez le pédicure et j'ai adoré ça!" L'imagination, la sensibilité et la spontanéité dont fait preuve ce genre de toucher sont presque sûres d'augmenter la réceptivité d'une femme à l'acte d'amour.

Les seins et les parties génitales sont peut-être les zones de toucher les plus mal comprises. Les seins d'une femme doivent être pris, en tout temps, avec délicatesse. La partie du corps qui serait peut-être la plus comparable chez l'homme, ce sont ses testicules. Des recherches ont montré de façon concluante que pour la plupart des femmes les seins doivent être caressés et embrassés, avec amour et sans se presser pour que le corps ait le temps de déclencher sa réaction sexuelle complète. La plupart des hommes embrassent, sucent, caressent, frottent, et palpent les seins et les mamelons pendant trop peu de temps et vont immédiatement aux parties génitales, car c'est là le genre de cheminement qu'*ils* préfèrent pour la plupart. On doit noter que les seins sont de toutes formes et de toutes dimensions, que c'est une réaction normale pour les mamelons d'avoir une érection quand on les stimule (ou qu'il fait trop froid), que certaines femmes parfaitement saines éprouvent fort peu de plaisir érotique à se faire caresser les seins, que la plupart des femmes préfèrent un toucher encore plus délicat avant ou pendant les menstruations.

On a beaucoup écrit sur le clitoris en tant que centre des sensations érotiques chez les femmes. Et pourtant bien des femmes d'aujourd'hui disent que les hommes ne savent toujours pas comment stimuler le clitoris pour donner le plus de plaisir possible. Le problème le plus courant est le toucher "lourd", "automatique" ou "mécanique". Les thérapeutes du sexe signalent que la plupart des femmes préfèrent une approche indirecte de la stimulation du clitoris, c'est-à-dire, la caresse, le baiser ou le toucher des grandes et des petites lèvres d'abord, puis la caresse des côtés droit et gauche du clitoris avant qu'on ne le touche enfin directement. Il est important d'être conscient du fait qu'une attention directe et prolongée sur le clitoris peut causer l'insensibilité et qu'avant l'orgasme le clitoris se rétracte sous un capuchon de chair. Changez de type de caresses, tout particulièrement au début de l'excitation, et continuez vos caresses même si le clitoris est rétracté, à moins que votre partenaire ne vous suggère le contraire. En outre, un lubrifiant est nécessaire pour apprécier toute la gamme des sensations que peut procurer la stimulation du clitoris. Si vous ne sentez pas assez de lubrification naturelle, appliquez une petite quantité de lotion de corps non parfumée ou de gel K-Y directement sur toute la région vaginale. La salive est aussi un lubrifiant commode, mais beaucoup de femmes font remarquer qu'elle sèche trop vite.

L'ouverture du vagin est très innervée et donc sensible au toucher. Au contraire, les parois internes du vagin, moins innervées, ne sont pas tellement sensibles au toucher mais réagissent davantage à la pression et à la poussée. Cependant, le très controversé point "G", que l'on pense être une zone de la taille d'une pièce de dix cents située sur la paroi antérieure ou frontale du vagin, est, prétend-on, ultrasensible et, lorsqu'il est stimulé, il peut causer un orgasme intense. Le point G (ainsi nommé à cause d'un gynécologue des années 40: Ernst Grafenberg) peut être atteint soit lors de la pénétration (en particulier, dans les positions où la femme est au-dessus de l'homme ou les positions de "pénétration par derrière") soit en insérant un ou deux doigts dans le vagin et en massant la paroi frontale vers le haut et légèrement au bord de l'os pelvien. La localisation exacte de ce point est inconnue et l'existence du point G lui-même est certes encore loin d'être universellement admise.

La surface externe de l'anus peut être une zone extrêmement érogène. Beaucoup de femmes sont très excitées par un léger toucher rotatif sur l'"oeillet" ou l'ouverture de l'anus. Lorsqu'une femme est très excitée et réceptive, l'insertion d'un ou même deux doigts bien lubrifiés et un lent mouvement d'avant en arrière peuvent produire une stimulation extrêmement excitante. Mais, comme l'anus a une longue histoire de tabous psychologiques et sociaux, certaines femmes (et certains hommes) peuvent être opposées à toute forme d'exploration anale. Le chapitre 13, qui traite des négociations sexuelles, pourra s'avérer utile pour accorder des attitudes et des attentes divergentes sur ce point encore controversé.

De même qu'une majorité de femmes disent préférer un toucher léger, sans avidité, la plupart des hommes préfèrent au contraire un toucher plus ferme, plus appuyé, en particulier sur les organes génitaux.

Comme on l'a déjà fait remarquer, soit à cause de la culture ou de la biologie, la plupart des hommes désirent des femmes qu'elles leur fassent des touchers sexuels, c'est-à-dire génitaux, lors des préliminaires amoureux, alors que les femmes ont plutôt tendance à désirer l'inverse. Certains hommes ignorent qu'il existe tout un monde de sensations ailleurs que sur le pénis, et que des zones érogènes ou productrices d'excitations sont réparties sur toute la surface du corps d'un homme. Voici quelques-unes des zones les plus sensibles:

les oreilles
le cou
le bout des seins (50 à 60 pour cent des hommes ont une érection partielle ou totale des aréoles lorsqu'on les leur stimule)
les fesses
l'intérieur des cuisses, en particulier près des organes génitaux
le pénis
le scrotum
l'anus

Voici quelques règles générales à ne pas oublier, en ce qui concerne le toucher génital.

La plupart des hommes aiment que l'on caresse ou saisisse leur pénis fermement. Souvenez-vous que le gland du pénis est la zone la plus sensible et qu'il réagit à divers degrés de caresses, de touchers ou de léchages. La fragile membrane verticale de peau située en dessous et qui relie le gland au membre procure une grande intensité de sensations, de même que la longue ligne qui ressemble à une veine engorgée et qui court tout au long du dessous du pénis. Le membre lui-même est moins sensible; vous pouvez l'empoigner ou le serrer très fermement. Les hommes disent que la plupart des femmes ne serrent pas assez fort le pénis lorsqu'elles font bouger sa peau externe de haut en bas puis de bas en haut.

Certains touchers érotiques particuliers que les hommes disent aimer comprennent un léger tirement de poils, en particulier sur les oreilles et près des tempes, la morsure des tendons qui courent le long du cou, de l'oreille à l'épaule, une morsure légère de l'intérieur des cuisses, des fesses et tout particulièrement des muscles qui entourent les aisselles. Un homme a fait état de l'excitation exceptionnelle qu'il éprouvait à se faire légèrement et rapidement pincer sur tout le corps, avec des morsures légèrement plus fortes sur les muscles du haut des épaules jusqu'à la pointe des seins.

Comment trouver le bon toucher

La discussion, le massage, l'essai et l'erreur sont les méthodes les plus couramment utilisées pour essayer de trouver le toucher auquel votre partenaire réagit le plus. Une thérapeute de Los Angeles emploie une autre méthode qui semble marcher exceptionnellement bien chez les couples qu'elle traite. Cela consiste en un simple changement de rôle: chaque partenaire imagine qu'il (ou elle) est l'autre et touche l'autre comme elle (ou il) aimerait être touché. Par exemple, vous, la femme, vous imaginez que vous êtes votre mari ou amant. Vous lui donnez les sensations auxquelles *vous* seriez le plus sensible. Vous, par exemple, vous préférez des caresses longues et sensuelles sur vos jambes et à l'intérieur de vos cuisses. Vous aimez que l'on vous suce fermement le bout des seins, vous appréciez la pression d'une paume placée sur votre os pelvien (beaucoup de femmes aiment ça) tandis que l'on caresse vos seins. Faites cela à votre partenaire de façon qu'il puisse éprouver presque aussi exactement que possible ce qui est bon pour vous. Puis, inversez les rôles. Vous voulez que votre femme ou amante fasse l'expérience de la façon dont vous aimeriez être touché. Peut-être voulez-vous des caresses nettement plus fermes, être empoigné de façon plus forte, peut-être aimez-vous qu'on touche la pointe de vos seins d'une façon particulière ou qu'on vous donne des baisers dans le bas du dos: faites-le à votre partenaire de façon qu'elle puisse éprouver comment vous réagissez et où vous réagissez. Vous découvrirez tous deux que cette simple inversion des rôles révèle bien des choses dans la mesure où elle montre de façon précise quelle sorte de toucher procure le plus de plaisir, sans pour autant représenter une menace ou faire naître l'anxiété.

Les vibrateurs

Le vibrateur n'est pas un substitut du toucher humain, il donne simplement une autre possibilité sensuelle. Les hommes comme les femmes sont divisés au sujet des vibrateurs. Certaines personnes adorent les sensations qu'ils procurent, d'autres ne sont pas aussi enthousiastes. L'opinion qui prévaut chez ceux qui en font usage de façon régulière est qu'il faut faire des expériences avec différents types de vibrateurs avant de trouver celui qui donne le plus de plaisir. Si vous êtes timide ou que cela vous gêne d'en acheter un, vous pouvez en commander un par la poste grâce aux nombreux catalogues de produits sexuels que vous trouverez annoncés dans des magazines de diffusion nationale comme *Playboy*.

Plusieurs couples m'ont parlé des vibrateurs que l'on trouve dans les grands magasins, au rayon des appareils électriques. Conçus essentiellement comme des instruments de massage destinés à détendre, ils fonctionnent à l'électricité et donnent une pression plus forte que les vibrateurs qui marchent à piles. L'appareil de massage fixé sur la main et muni d'un petit moteur, de type utilisé dans les salons de coiffure, est également présenté comme procurant une grande variété de sensations.

On peut se servir d'un vibrateur pour donner un type de stimulation particulier concentré presque partout sur le corps, y compris, bien sûr, sur les zones les plus érogènes: les seins, les aréoles, le clitoris, la région vaginale, le pénis, et les régions du scrotum et de l'anus. Plusieurs hommes font état d'une stimulation intense procurée par l'application du vibrateur à l'anus et sous le scrotum et les femmes se servent souvent de vibrateurs comme moyen d'atteindre des orgasmes multiples (voir chapitre suivant).

Guide non censuré du baiser

"Vous seriez surprise du nombre de gens qui ne savent ni comment ni où embrasser", m'a fait remarquer un thérapeute du sexe. Le livre *les Joies du sexe* dit: "Un bon baiser sur la bouche devrait faire perdre le souffle à celui qui le reçoit mais pas l'asphyxier (laissez passer l'air). De plus, personne n'aime se faire écraser le nez sur le visage."

Le baiser implique un contact bouche à bouche et bouche à corps. Il implique aussi l'intimité (ce qui explique pourquoi beaucoup d'hommes n'embrassent jamais les prostituées), mais dans ce qui est de nos jours une véritable course vers le lit, beaucoup de l'art exquis du baiser s'est perdu. Le baiser érotique est une façon de commencer à faire l'amour et c'est aussi un autre des moyens utilisés par la nature pour faire durer le plaisir; il donne aux femmes le temps de devenir excitées et aide les deux partenaires à faire ou à refaire connaissance avec le corps de l'autre.

C'est ainsi que les hommes aussi bien que les femmes décrivent un bon baiser:

- quelque part entre humide et trop mouillé
- bien placé
- pas agressif
- sensible
- concentré
- chaleureux et généreux

Un certain nombre d'hommes et de femmes m'ont dit qu'aujourd'hui le baiser sur les parties génitales est souvent considéré comme obligatoire. Mais rien, dans le sexe, ne devrait être obligatoire. Le baiser sur les parties génitales, comme le baiser sur toute autre partie du corps, est une expérience sensuelle qui a pour but de donner du plaisir et du bien-être à celui qui le reçoit. La peur des odeurs corporelles est un des obstacles au baiser sur les parties génitales. Les thérapeutes du sexe font remarquer que l'odeur naturelle d'organes génitaux propres est généralement attirante pour le sexe opposé et que, par ailleurs, des bains ou des douches parfumées peuvent, si on le désire, faire partie de l'acte d'amour lui-même.

"Le baiser, résume un producteur de radio de Houston, est un acte enrichissant, tendre, réconfortant, chaleureux, aimant. C'est un des échanges les plus intimes qui puissent survenir entre deux personnes."

IX

Le point sur l'orgasme

Si un Martien curieux devait parcourir tous les livres sur le sexe actuellement sur le marché, il serait certainement frappé par la récurrence d'un mot: orgasme. Ce n'est pas avant le milieu des années soixante, avec la diffusion par Masters et Johnson d'instruments de mesures et de polygraphes, que le mot orgasme a pris une telle prépondérance sur cette planète. Auriez-vous entendu, il y a dix ans, une femme remarquer le plus naturellement du monde: "C'était tellement bon que j'en ai presque eu un orgasme", à propos d'une mousse au chocolat dégustée lors d'un festin à Chicago? Mais de nos jours, la répétition constante de ce mot dans les manuels de sexe, les articles sur le sexe, les séances de thérapie sexuelle — et les soupers — est assez évidente pour que même un extraterrestre prenne conscience qu'il s'agit là d'un sujet extrêmement important. Bon, et bien, quelle est donc l'importance exacte de l'orgasme, que disent les plus récentes recherches dans ce domaine et comment cela vous affecte-t-il? Ce chapitre est tout entier consacré à l'orgasme, cette culmination de l'excitation sexuelle. Il a pour but de donner de l'information, de simplifier les faits et d'aider à résoudre les problèmes que beaucoup d'entre nous ont eu à affronter un jour ou l'autre en ce qui concerne l'orgasme avec un grand O.

Les faits

Un orgasme est le point culminant de l'excitation sexuelle.

Les hommes et les femmes ont des orgasmes.

Les orgasmes sont semblables chez les hommes et les femmes. De fait, dans une enquête récente où l'on demandait aux gens de décrire l'orgasme, les chercheurs n'ont pas pu deviner si les réponses avaient été écrites par des hommes ou par des femmes.

Généralement, les hommes éjaculent pendant l'orgasme.

Il est *possible* que les femmes éjaculent également; les données sur ce point ne sont pas encore concluantes.

Au moment où j'écris ces lignes, l'éjaculation est encore très largement considérée comme faisant partie de l'orgasme chez un homme (bien qu'une controverse de plus en plus grande se développe sur ce point); il semble donc que les hommes aient besoin d'orgasme pour la perpétuation de la race. Quant aux femmes, elles n'ont besoin d'orgasme pour aucune raison biologique connue.

Il semble que les femmes éprouvent plus de difficultés que les hommes à atteindre à l'orgasme et qu'ainsi l'orgasme puisse prendre pour la femme un *sens* différent, sur le plan émotionnel, de celui qu'il a pour l'homme.

Pendant des années, les débats ont fait rage à propos de l'orgasme "clitoridien" ou "vaginal" (et maintenant à propos de l'orgasme du point G). L'opinion la plus généralement répandue de nos jours est qu'un orgasme est un orgasme, peu importe la façon dont on l'atteint et l'endroit où il se situe.

Voici les faits les plus récents concernant les orgasmes multiples: étant donné que l'on pense que les femmes ne connaissent pas de "phase réfractaire" (le temps nécessaire à la plupart des hommes pour avoir une nouvelle érection), elles sont capables d'une série ininterrompue d'orgasmes. La capacité d'atteindre à des orgasmes multiples ou en séquence se développe généralement avec les années, bien que certaines femmes semblent avoir ce don de façon intuitive. Un orgasme "multiple" peut aller de deux ou trois à autant que quinze sommets d'excitation ou plus lors d'une seule expérience amoureuse. La recherche se consacre maintenant à l'hypothèse que les hommes peuvent connaître des orgasmes multiples avant même l'éjaculation. Les hommes ne peuvent contrôler leur érection mais ils peuvent, avec une certaine pratique, contrôler leur éjaculation.

Certaines conditions semblent nécessaires pour qu'un homme connaisse des orgasmes multiples. La première de ces conditions semble être la vitesse avec laquelle le pénis perd sa rigidité. Cela peut prendre jusqu'à une demi-heure à un homme pour perdre son érection après la fin de l'acte sexuel, alors que le pénis d'un autre deviendra mou presque instantanément. Jusqu'à présent, on pense que ces différences sont innées et incontrôlables. Ainsi, l'homme dont la vitesse de détumescence est la plus lente peut être plus capable d'orgasmes multiples.

Les problèmes les plus courants en ce qui concerne l'orgasme

Chez les femmes: la difficulté d'atteindre à l'orgasme.
Chez les hommes: l'éjaculation précoce.

Certaines femmes n'ont jamais connu l'orgasme, encore moins des orgasmes multiples. Si vous n'avez jamais éprouvé d'orgasme en faisant l'amour, vous pourriez envisager de consulter un thérapeute qui travaillera en douceur avec vous (et votre mari) pour vous aider. Le traitement consiste généralement en plusieurs séances individuelles et/ou en couple, séances consacrées à lever vos angoisses (passées ou présentes) et à vous donner des techniques physiques simples pour atteindre à l'orgasme. Si vous n'avez jamais éprouvé d'orgasmes multiples et que vous désiriez le faire, un thérapeute devrait pouvoir vous aider, mais plusieurs femmes auxquelles j'ai parlé m'ont avoué que, pour elles, se donner la capacité d'atteindre à des orgasmes multiples consistait simplement à se masturber jusqu'à l'orgasme puis à continuer la stimulation après l'orgasme jusqu'à ce qu'un autre orgasme se produise. Certains thérapeutes suggèrent d'utiliser un vibrateur pour multiplier l'orgasme et d'autres laissent entendre que pour bien des femmes, un seul orgasme peut être tout ce qu'elles désirent ou tout ce dont elles ont besoin (ou encore tout ce dont elles sont peut-être capables).

Le problème le plus courant qu'ont à affronter les thérapeutes du sexe est le manque d'orgasme des femmes dans l'acte sexuel. Pour beaucoup de femmes, sinon même pour la plupart, seule la stimulation du clitoris peut mener à l'orgasme. Autrefois, les médecins et les chercheurs pensaient qu'à moins de pouvoir atteindre à l'orgasme pendant l'acte sexuel, une femme ne fonctionnait pas bien physiquement. Les thérapeutes ont fini par se convaincre qu'il n'y a rien de "mal" chez une femme qui ne peut atteindre à l'orgasme pendant l'acte sexuel. L'acte sexuel accompagné de stimulation manuelle et/ou directe du clitoris (comme dans la position où la femme est à califourchon sur l'homme) est souvent suggéré aux couples qui se préoccupent encore de cela.

Mais peut-être que le problème le plus grave, en ce qui concerne l'orgasme, c'est toute l'*emphase* qu'on y met. Pour une femme, s'inquiéter d'avoir un orgasme (comme, pour un homme, se préoccuper d'avoir une érection) c'est le plus sûr moyen de *ne pas* en avoir. Un médecin à qui j'ai parlé m'a offert le conseil suivant: "Il existe un livre intitulé *Zen and the Art of Archer (le Zen et l'art de l'archer)*, m'expliqua-t-il avec conviction, qui prétend notamment que les meilleurs archers sont ceux qui ne visent pas la cible. N'essayez pas de vous souvenir de toutes les "techniques" impliquées par l'orgasme. On ne va pas vous juger, vous ne participez pas à une sorte de compétition. De la même façon que l'on recommande à l'archer de concentrer son attention sur sa flèche, de la regarder, et même de l'écouter, le meilleur conseil que l'on puisse donner concernant l'orgasme, c'est de se concentrer sur ce qui est en train de se produire sur le moment et non sur ce qui pourrait se produire dans cinq secondes. Oubliez que l'orgasme existe et concentrez-vous sur le plaisir de faire l'amour. C'est un principe simple mais étonnamment efficace."

Même si l'on met beaucoup l'accent sur l'orgasme, il n'est pas nécessaire que ce soit une partie indispensable de toute expérience sexuelle. Beaucoup de femmes découvrent que l'orgasme de leur mari ou amant leur procure souvent un intense sentiment de satisfaction. "Je ne jouis tout simplement pas à chaque fois et je ne trouve pas que ce soit nécessaire pour moi. Si je me sentais frustrée, je saurais bien que quelque chose ne va pas, mais je me sens très bien quand mon mari jouit et que je *n'ai pas* à jouir moi-même", explique une recherchiste médicale de Kansas City. Le psychologue et humaniste Rollo May résume encore plus clairement cette attitude lorsqu'il fait remarquer: "Le sexe est affaire de stimulus et de réaction; l'amour, lui, c'est le partage de son être avec un autre."

Bien qu'il n'y ait pas sur ce point assez de preuves spécifiques pour conclure, plusieurs thérapeutes et médecins respectés pensent qu'un mauvais tonus du muscle pubococcyque (PC) peut empêcher l'orgasme et donc que maintenir ce muscle en bonne forme augmente les chances d'orgasme. L'exercice de raffermissement du muscle PC le plus répandu a été mis au point par le Dr Arnold Kegel et consiste à tendre et détendre ce muscle qui est précisément celui que l'on utilise également pour arrêter et permettre l'écoulement de l'urine.

Chez les hommes, le problème le plus fréquent en ce qui concerne l'orgasme, c'est l'éjaculation précoce. Il peut être traité avec un succès quasi infaillible! Il existe deux méthodes de base que l'on utilise généralement aujourd'hui: la première est la technique de Semans d'arrêt-reprise, la seconde la technique de "compression" préconisée par Masters et Johnson et qui n'est qu'une variante de la méthode de Semans. (Pour une version de la technique de compression, voir page 92) Les deux donnent de bons résultats et peuvent se maîtriser en relativement peu de temps. On a abondamment écrit au sujet de ces techniques dans les manuels de sexe spécialisés et populaires, mais, si l'éjaculation précoce demeure un problème permanent, il est plus sage de consulter un thérapeute qui recommandera probablement six à douze séances de traitement (une ou deux fois par semaine) impliquant les deux partenaires. Demandez à votre médecin ou à l'hôpital de votre quartier ou de votre localité de vous fournir le nom d'un thérapeute qualifié.

Pourquoi le sexe devient souvent meilleur à mesure que vous vieillissez

À mesure que nous mûrissons, nos différences de rythme dans l'acte sexuel semblent s'atténuer, ce qui s'accompagne d'effets positifs. En vieillissant, et plus spécifiquement après cinquante ans, un homme a besoin pour être excité physiquement d'une stimulation plus intense et plus directe. Un contact génital direct, soit manuel, soit oral, soit encore les deux à la fois, est généralement essentiel. L'orgasme devient aussi moins important, à mesure que la phase réfractaire (ou le temps nécessaire à une nouvelle érection) devient plus longue. Ces changements peuvent causer à l'homme une certaine angoisse ou bien, au contraire, venir s'ajouter aux bonnes nouvelles qui lui disent que, puisque biologiquement il ralentit quelque peu, il sera maintenant plus accordé aux besoins de sa partenaire.

Le même rythme et le même modèle d'excitation restent vrais pour les femmes à mesure que passent les années, si elles ont mené une vie sexuelle assez active. Bien que les lubrifiants naturels diminuent après la ménopause, on peut leur ajouter du gel K-Y ou de la lotion corporelle non parfumée, et les femmes font régulièrement état d'un plaisir sexuel accru avec l'âge. Helen Singer Kaplan signale que beaucoup de femmes restent toute leur vie extrêmement intéressées à la sexualité: 25 pour cent des femmes septuagénaires se masturbent encore.

Selon certaines théories, à mesure que passent les années, les hommes deviennent plus semblables aux femmes, en ce sens que la fantaisie et l'état d'esprit deviennent plus importants dans l'acte d'amour et qu'ils se préoccupent moins d'orgasme.

Les amants de toute une vie semblent tous avoir une chose en commun: ils ont été capables de maintenir de hauts niveaux d'activité sexuelle tout au long de leur vie. Selon la formulation non officielle de nos chercheurs: "Plus on le fait, plus on peut encore le faire!" Le ralentissement des réactions qui se produit naturellement avec les années peut s'avérer un véritable avantage: non seulement il faut plus de temps pour atteindre un haut niveau d'excitation sexuelle mais une fois que ce sommet est atteint, beaucoup d'hommes et de femmes dans la cinquantaine, la soixantaine et même au-delà, peuvent s'y maintenir très longtemps.

X

Se faire l'amour l'un à l'autre

Quand?

Un journaliste italien qui visitait New York et s'ennuyait énormément de sa femme m'a fait remarquer un jour: "Ah! il est onze heures, pensez à tous les gens qui sont en train de faire l'amour en ce moment même dans cette ville excitante!" Je me suis mise à penser à tous ces gens qui devaient faire face aux frustrations et aux inconvénients quotidiens de New York: les métros bondés et étouffants, les conducteurs d'autobus assassins, la pluie froide, la neige fondue, la gadoue, la ruée frénétique vers le dollar à gagner. Quand vient onze heures, la plupart d'entre nous sont complètement exténués, mais c'est l'heure où enfin les enfants sont couchés, l'heure où la vaisselle est faite, l'heure où nous disposons de quelques instants avant de plonger dans le sommeil ou l'insomnie. Il ne faut pas être grand clerc pour voir que l'amour en fin de soirée est loin d'être l'idéal et pourtant bien des gens coincent toujours l'activité sexuelle dans ces quelques minutes somnolentes qui terminent une journée fébrile. Pas étonnant que l'expérience s'avère rapide, insatisfaisante et généralement vide de sens.

On ne répétera jamais assez que *faire l'amour prend du temps.* La spontanéité est un fantastique excitant mais, étant donné les dures réalités de la double journée de travail d'une famille moyenne, il s'avère que planifier l'activité sexuelle peut ne pas être une si mauvaise idée. Les experts disent que prendre le temps de se fixer un rendez-vous, au lieu d'inhiber la sexualité, ne fait que l'enflammer: en d'autres termes, l'acte sexuel planifié devient quelque chose que l'on attend avec impatience. Un couple que j'ai interrogé et dont les deux membres subissaient un stress professionnel exceptionnel, avançait le réveil d'une heure plusieurs fois par semaine pour pouvoir faire l'amour le matin. "Nous avions constaté qu'il était trop facile de balancer le sexe par-dessus bord, compte tenu de notre intense activité professionnelle à tous deux, m'expliquait Louise, et si on ne fait pas l'amour on perd un lien essentiel entre nous. Bien que ce soit pour moi une véritable corvée de me réveiller plus tôt que d'habitude, nous avons décidé que c'était la seule solution jusqu'à ce que la pression du travail se fasse moins forte pour tous deux."

"Certaines personnes pensent que le sexe en fin de soirée est plus excitant et plus romantique, et peut-être ont-elles raison, mais, pour ma part, je recommande fortement le sexe le matin, dit un psychologue de Chicago. Un verre ou deux, un dîner substantiel, des préoccupations d'ordre professionnel, ce genre d'interférences nocturnes mène à du sexe de mauvaise qualité." Si vous vous obstinez sans cesse tous deux à essayer de faire l'amour à des moments où vous êtes fatigués ou tendus par une journée fébrile, quand vous avez bu trop de scotch ou à une heure où les enfants peuvent encore surgir, vous devriez vous demander pourquoi vous agissez ainsi. Cela peut vouloir dire que vous essayez en réalité d'éviter le sexe.

Le meilleur temps pour faire l'amour, de l'avis des experts qui ne font là que donner des conseils de simple bon sens, c'est quand vous êtes tous deux relativement détendus, que vous avez du temps à perdre et que vous êtes sûrs que votre intimité sera respectée.

Où

Quand j'ai demandé à des hommes et à des femmes quel était le "meilleur" endroit ou l'endroit "idéal" pour faire l'amour, j'ai reçu, entre autres, les réponses suivantes:

"Ce fut pour moi dans une galerie d'art de Los Angeles, dans un coin derrière un gigantesque tableau hyperréaliste... Le fils que nous avons conçu de cette façon "artistique" porte le nom de cette galerie."

"J'ai toujours voulu faire l'amour dans un motel minable. Alors, mon futur mari m'a emmenée au New Jersey, dans un de ces établissements aux néons criards où s'arrêtent les routiers..."

"Je rêve de faire l'amour dans une couchette du vol de Japan Airlines vers Tokyo."

"Au lit. Pas besoin d'endroits recherchés. C'est *vous* qui créez l'atmosphère. Il y a aussi le plancher de la salle de bains, avec un matelas d'exercice en dessous."

"Ma plus belle expérience a été sur une table à dessin d'architecte. Nous venions de discuter des plans d'un terrain de jeux pour une école..."

Les manuels de sexe sont divisés sur ce point. Certains disent que le seul endroit valable pour vraiment expérimenter et apprécier l'acte sexuel est un lit confortable, avec toutes sortes de commodités: des chandelles, de la musique, un verre de vin, des draps parfumés, etc. D'autres vantent les vertus d'endroits exotiques que seuls limitent l'imagination, les moyens financiers et la forme physique. Comme c'est souvent le cas avec de telles divergences d'opinions et de choix, le plus sage c'est de suivre votre propre inclination: l'endroit que vous préférez tous deux, quel qu'il soit, est celui qui marchera le mieux pour vous.

Trois "secrets" pour réussir l'acte sexuel

Faites-vous savoir l'un à l'autre ce que vous aimez. Des nuances infinies d'émotions et de sensations physiques se produisent quand on fait l'amour. Vous devez devenir sensible à ces changements en observant soigneusement les réactions physiques de votre partenaire et en laissant paraître vos réactions spécifiques à divers touchers et mouvements. Des phrases simples qui commencent par: "J'aime que...", "Encore là...", "C'est si bon quand...", ne sont ni des menaces ni des jugements et donnent à votre partenaire une idée claire de ce qu'il vous faut et de ce que vous voulez à divers moments et dans des circonstances différentes.

De la concentration. C'est là un des grands secrets de l'amour bien fait. Il y a des chances que vous ameniez au lit avec vous toutes sortes d'angoisses, de peurs et de problèmes. Se concentrer totalement sur ce que l'on fait *moment après moment* est le meilleur moyen d'écarter la sorte d'interférences insidieuses qui peuvent détruire lentement la relation amoureuse la meilleure qui soit. Ne laissez pas votre esprit jongler avec les problèmes du bureau ou des enfants, sur ce qui se passe chez les voisins ou sur l'aspect de votre ventre. Les hommes aussi bien que les femmes m'ont dit qu'ils peuvent presque toujours discerner si leur partenaire fait quelque chose machinalement, et c'est alors que ce vieux destructeur d'amour — la routine — commence à s'installer.

Donner et recevoir du plaisir. Beaucoup de gens qui ont des problèmes sexuels souffrent parce qu'ils se jugent en termes de performance ou parce qu'ils s'attachent à se fixer des buts. ("Je dois atteindre à l'orgasme", "Je dois garder mon érection".) Se consacrer plutôt simplement à donner et à recevoir du plaisir est une des meilleures façons d'alléger ses angoisses et de s'ouvrir à la liberté et à la joie naturelles qui vont avec l'acte d'amour.

Les montagnes russes

> "Il y a le sexe du jardin d'enfants — c'est celui que pratiquent la plupart des gens — et il y a le sexe de l'université. C'est de *celui-ci* que vous devriez parler dans vos écrits!"
>
> "On entend dire que le sexe est océanique, extatique, cosmique, volcanique. Je pense qu'il s'agit là d'une sorte de propagande pour garder de l'emploi aux poètes. Les gens qui disent ces choses se trompent eux-mêmes... ou alors peut-être savent-ils quelque chose que je ne connais pas."

J'ai découvert que la plupart des gens que j'ai interrogés se divisaient en deux camps: ceux qui pensent que faire l'amour est une des expériences les plus extraordinaires et les plus sublimes qu'un être humain puisse connaître et ceux qui en secret se demandent pourquoi on en fait tout un plat. Je soupçonne les gens qui constituent cette dernière catégorie de n'avoir jamais appris les techniques qui peuvent augmenter et intensifier les aspects physiques et émotionnels de l'acte d'amour.

Dans les années 50, Kinsey a établi que la durée moyenne entre la pénétration et l'éjaculation était de trois minutes et demie. Si aujourd'hui vous demandez aux gens combien de temps ils passent à faire l'amour, la majorité va répondre généralement qu'il s'agit de vingt à quarante minutes. Mais en posant des questions indirectes et en fouillant soigneusement dans les statistiques, j'ai découvert que la plupart des couples passent de quatre à six minutes à faire l'amour proprement dit et, avant, entre trois et dix minutes à se caresser et à s'embrasser, tandis qu'après, c'est habituellement moins que cela. Ceux qui parlent d'expériences transcendantes passent en général *au moins* entre une demi-heure et quarante-cinq minutes à faire l'amour.

Des recherches ont montré qu'*une femme peut avoir besoin de vingt minutes ou plus* pour être pleinement excitée, alors qu'un homme (de moins de cinquante ans) devient en général physiquement prêt à l'orgasme en beaucoup moins de temps. C'est l'ignorance de cette simple différence de rythme biologique entre les hommes et les femmes qui est la source de tant de problèmes sexuels. Lorsque des femmes me disaient: "J'aime mon mari, mais je ne suis tout simplement plus intéressée au sexe", cela revenait bien souvent à dire que leurs partenaires ne les stimulaient pas de la façon qui leur était nécessaire pour devenir sexuellement réceptives. Disons cela le plus simplement possible: les hommes doivent se souvenir que la plupart des femmes ont besoin de nettement plus de temps qu'eux pour être prêtes à l'étreinte et à l'orgasme. Non seulement faut-il que la majorité des femmes soient prêtes émotionnellement à faire l'amour, mais nous devons aussi être préparées physiquement par des caresses manuelles et orales prolongées. "Nous faisons l'amour, et je commence à me sentir à peine éveillée que c'est déjà fini. J'ai peur de demander que l'on recommence", m'a dit une femme qui se fait ainsi l'écho d'une frustration qui n'est que trop répandue.

"Si les hommes et les femmes ont des rythmes si différents, comment diable peut-on en arriver à bien faire l'amour ensemble?", se demandait tout simplement une femme. La réponse se trouve dans ce qu'un homme sexuellement très actif que j'ai interviewé appelle "les montagnes russes". En langage clair, il ne fait là que décrire une forme raffinée d'acte sexuel qui consiste pour chaque partenaire à atteindre de nombreux sommets de plaisir sur une période de temps prolongée. L'homme y atteint un seuil ou un sommet d'excitation (sans éjaculation) une fois ou plus, et la femme parvient au seuil et le franchit (orgasme) une fois ou autant de fois qu'elle le désire (si elle est multiorgasmique). À l'intérieur de cette relation sexuelle prolongée, le couple peut utiliser un nombre indéfini de stimulations orales ou sexuelles ou toutes les positions qu'ils peuvent préférer. Ce type d'expérience physique et émotionnelle prolongée est exactement l'opposé du "p'tit coup vite", biologiquement et émotionnellement vide de sens, dont bien des gens admettent qu'il constitue l'essentiel de leur répertoire sexuel.

Comment développe-t-on spécifiquement ce type de relation sexuelle? Il faut être au courant de certains types de contrôle et de relâchement, connaître les très importantes différences qui existent dans les processus d'excitation des hommes et des femmes et être conscient de l'importance de certaines techniques.

Pour les hommes, une bonne part du "secret" de l'acte sexuel prolongé réside dans la capacité de contrôler l'éjaculation. De prime abord, ça peut paraître difficile, mais ça ne l'est pas. La clé du succès consiste à savoir reconnaître l'approche du "point de non-retour" ou ce que Masters et Johnson appellent le "stade de l'éjaculation inévitable". Un homme décrit ça ainsi: "C'est le moment où vous sentez que vous commencez à jouir mais que vous pouvez encore vous retenir. C'est comme reconnaître le point à partir duquel la vague va se couvrir d'écume." Pour être sensible à cette phase, vous devez vous concentrer, et il se peut que plusieurs expériences soient nécessaires avant que vous soyez parfaitement conscient de votre seuil personnel.

Vous devriez aussi être parfaitement conscient de vos réactions à différents types de poussées. Des poussées profondes, rapides et directes conduisent plus sûrement à l'éjaculation alors que des poussées peu profondes, obliques et lentes peuvent aider à la retarder. Quand vous commencez à approcher du point de non-retour, il y a deux choses que vous pouvez faire pour contrôler l'éjaculation:

- Cessez vos mouvements un moment ou aussi longtemps qu'il faut pour que vous reveniez à un stade d'excitation moins intense.

- Votre partenaire et vous pouvez avoir recours à la technique de la compression.

Si vous vous arrêtez quelques secondes ou plus, vous pouvez adopter une nouvelle position qui rende vos poussées moins profondes (par exemple, votre partenaire sur vous ou tous deux sur le côté) ou encore votre partenaire peut continuer à vous donner une sensation extraordinaire sans toutefois trop vous stimuler: elle peut prendre une petite quantité de salive ou de lubrifiant et entourer lentement de ses doigts le gland de votre pénis. Elle peut aussi prendre votre pénis dans sa bouche et en caresser légèrement le bout de sa langue jusqu'à ce que vous lui fassiez savoir que vous aimeriez changer pour quelque chose d'autre.

Si vous décidez tous deux d'utiliser la technique de la compression, voici comment ça se passe: dites-lui quand vous atteignez le point de non-retour. De son pouce et du bout de ses doigts, elle encerclera alors le haut de votre scrotum, en s'assurant que les testicules sont en dessous de l'anneau formé par ses doigts. Elle compresse doucement ou elle serre l'un contre l'autre son pouce et son index et en même temps applique une pression en direction de votre corps avec le dos de sa main. Dites-lui de quelle intensité de pression vous avez besoin. La bonne pression, maintenue entre six et dix secondes, devrait effectivement arrêter l'éjaculation. Mais si l'orgasme a commencé, n'essayez pas de l'arrêter. Il faut utiliser la technique de la compression avec douceur, délicatesse et précaution; cela peut prendre plusieurs tentatives avant de pouvoir la maîtriser parfaitement.

Note: Si vous faites l'amour de façon peu fréquente ou même, si, pour une raison ou pour une autre, vous vous êtes totalement abstenu, ne vous attendez pas à contrôler beaucoup votre éjaculation tant que vous n'aurez pas fait l'amour une ou plusieurs fois.

D'une certaine façon, les femmes ont besoin du contraire de ce contrôle que doivent exercer les hommes.

Pour connaître l'orgasme, la relaxation est cruciale. Certaines femmes accélèrent vraiment l'orgasme en serrant les fesses et les cuisses quand elles sentent que l'orgasme est proche, mais il ne semble pas qu'elles soient la majorité. La plupart des femmes disent que, lorsque la stimulation atteint un sommet, elles s'"abandonnent" à la sensation et laissent l'orgasme "se produire".

La chose la plus importante peut-être qu'une femme puisse faire pour son partenaire et pour elle-même, c'est de ne pas lui laisser savoir à quel point elle est excitée. "La méthode du tâtonnement est une mesure très inadéquate de l'état d'excitation où en est rendue une femme, dit un homme qui s'y connaît. Je peux fort bien sentir la pointe de ses seins s'ériger et je peux même parfois dire exactement à quel moment le clitoris s'est rétracté et me tromper quand même tout à fait quant à son excitation. Parfois les femmes soupirent et gémissent mais ce n'est pas l'orgasme, ce n'est qu'une étape sur le parcours. Je préfère dire à ma partenaire: "Donne-moi des instructions, dis-moi de "continuer à faire ça" ou encore "il me faut quelques minutes de plus"... C'est la meilleure façon que je connaisse de rester en contact avec son rythme personnel."

Les positions

Il n'est ni "il faudrait" ni "il faut" dans l'acte d'amour. Quand il s'agit de positions, l'état physique et émotionnel propre à chaque couple détermine ce qui est le meilleur pour lui. En règle générale, cependant, les positions où la femme est sur le dessus ou à califourchon lui donne à elle plus de stimulation, tout en donnant à l'homme un meilleur contrôle dans la mesure où il peut se servir de ses mains pour caresser et que ses poussées ne sont pas aussi directes. Beaucoup de femmes hésitent à se placer "dessus" parce qu'elles sont gênées par l'image de leur corps ou parce qu'elles pensent que l'homme peut ainsi se sentir menacé. Au contraire, beaucoup d'hommes déclarent que cette position est une de leurs préférées parce qu'elle leur permet de s'étendre et d'apprécier visuellement et sensuellement sans avoir à faire tous les mouvements.

J'ai lu quelque part que jusqu'à il y a une génération, 70 pour cent des Américains n'avaient jamais essayé une autre position que la bonne vieille position dite "du missionnaire". Elle est encore préférée par beaucoup de couples parce qu'elle n'est pas menaçante et permet un contact face à face et aussi, tout simplement, parce qu'elle est agréable. On peut utiliser la position du missionnaire seule mais habituellement elle ne représente qu'une des diverses positions employées quand un couple fait l'amour de façon prolongée, car il est trop facile pour un homme d'atteindre à l'orgasme dans cette position parce que ses poussées y sont profondes et directes. Des variantes de cette position permettent des poussées plus ou moins profondes si une femme bouge son pubis de diverses façons. Si une femme bouge son pubis vers le haut, lève plus haut les jambes, place ses jambes sur les épaules de l'homme ou ramène ses genoux vers ses épaules, les poussées deviennent encore plus profondes.

Selon Masters et Johnson "la position de coït la plus efficace est celle où l'homme et la femme sont côte à côte c'est-à-dire la position latérale". Cela ne semble pas toutefois être la position préférée de la plupart des couples que j'ai interrogés. Masters et Johnson pensent que c'est une position égalitaire et qu'"il n'y a pas d'écrasement de l'homme ou de la femme. Elle permet une liberté réciproque des mouvements pelviens dans toutes les directions, ne cause pas de crampe musculaire et écarte la nécessité de soulager des muscles fatigués." Peut-être est-ce précisément l'égalitarisme de cette position qui la rend peu attrayante. "Je n'ai jamais préféré la position côte à côte, dit une femme qui s'y connaît, j'aime alterner entre l'homme sur le dessus et moi sur le dessus, parce qu'il est plus excitant pour nous deux de dominer chacun une partie du temps."

Les manuels anciens et modernes décrivent littéralement des centaines de positions. Avec certaines d'entre elles, vous pouvez vous sentir mal à l'aise émotionnellement ou psychologiquement. "Cela me fait penser aux animaux ou aux homosexuels", dit une secrétaire, nommée Anne, de la position à genoux ou de "pénétration par derrière". "Je voudrais essayer le sexe anal avec ma fiancée, dit un homme, mais elle refuse à chaque fois. C'est sa dernière barrière." Si vous aimeriez explorer une nouvelle position ou essayer quelque chose et que votre partenaire refuse ou se sent mal à l'aise émotionnellement avec cette pratique, demandez-lui (gentiment) pourquoi il (ou elle) éprouve un tel sentiment. Quand l'amant d'Anne lui a expliqué qu'il la trouvait extrêmement excitante dans cette position, elle a accepté de "l'essayer, seulement pour une minute ou deux", ce qui l'a conduite à constater que cette position était sur le plan physique exceptionnellement stimulante pour elle aussi.

Les couples qui connaissent le plaisir d'une relation sexuelle active et très satisfaisante peuvent utiliser plusieurs positions ou s'en tenir simplement aux deux ou trois qu'ils préfèrent vraiment, en expérimentant quelque chose de nouveau à l'occasion. Essayer trop de positions différentes à l'intérieur d'une seule séance amoureuse peut s'avérer exténuant physiquement et ne revient généralement à rien d'autre que de l'athlétisme sexuel. L'art de l'acte sexuel prolongé implique la pénétration dans toutes les positions différentes qu'un couple peut préférer, combinée avec des techniques manuelles et orales. En termes précis, cela veut dire que vous pouvez commencer avec la femme sur le dessus, passer ensuite au sexe oral pour quelque temps puis revenir à la position initiale, puis retour encore à la stimulation orale ou manuelle — ou les deux — et enfin adopter la position du missionnaire. Ce genre de pratique amoureuse, précédée de baisers, d'étreintes et de touchers érotiques, donne à la femme le temps d'être bien excitée et prête à l'orgasme tandis que son partenaire est sans cesse amené à des sommets de plaisir avant d'en arriver à l'éjaculation.

Un mot, en passant, sur l'orgasme simultané. Les réactions sur ce point vont de "c'est la meilleure chose qui puisse arriver à deux personnes qui s'aiment" à "si j'ai moi aussi un orgasme, cela m'empêche de voir toutes les merveilleuses réactions de mon partenaire". "C'est un plaisir supplémentaire mais ce n'est pas essentiel", observe un homme qui résume ainsi l'opinion de la majorité.

Le sexe oral

Bien que beaucoup de gens parlent du sexe oral comme de quelque chose qui va de soi dans les relations sexuelles contemporaines, c'est une pratique encore fertile en problèmes aussi bien pour les hommes que pour les femmes. Précisément parce que tant d'articles, de livres et d'experts disent que "tout le monde le fait" et que "tout le monde" devrait l'apprécier, on se montre réticent à affronter la réalité du sexe oral. La réalité, c'est que bien des gens éprouvent à son endroit des craintes, des conflits et des angoisses.

Le sexe oral peut être une partie exquise de l'acte sexuel ou, au contraire, il peut être cause de graves problèmes. Le sexe oral, comme les mots l'indiquent, implique un contact entre la bouche et les organes génitaux. En employant la stimulation orale, vous ne vous en remettez plus seulement aux entrées et sorties du pénis dans le vagin pour vous procurer du plaisir à tous deux. Avec la langue, la bouche et les mains, vous pouvez créer pour tous les deux toute une variété de sensations nouvelles.

Le sexe oral peut symboliser l'acceptation et la reconnaissance de l'intimité physique la plus profonde qui puisse exister entre deux personnes. Si vous êtes gêné par le sexe oral — et beaucoup d'hommes et de femmes le sont — renseignez-vous sur le sujet autant que vous le pouvez, puis allez-y progressivement, petit à petit, en gardant toujours à l'esprit qu'il s'agit là d'une façon très spéciale de procurer du plaisir.

Une des questions les plus préoccupantes dans ce domaine c'est celle des odeurs corporelles: les odeurs des hommes et des femmes sont des excitants naturels, mais avec un tel accent mis de nos jours sur un environnement aseptisé, il n'est guère étonnant que nous ayons peur de nos propres odeurs. Plus d'un thérapeute à qui j'ai parlé recommande simplement de goûter votre *propre* odeur pour faire l'expérience de ce que votre partenaire goûte et sent.

Les aspects les plus importants du sexe oral sont: donner du plaisir à votre partenaire, ne pas perdre de vue le toucher et le rythme et rester sensible au degré d'excitation de votre partenaire.

Pour les femmes: une partie importante de *Comment faire l'amour à un homme* était consacrée au sexe oral, étape par étape, et énormément d'hommes et de femmes à qui j'ai parlé depuis la parution du livre m'ont dit que cela s'était avéré particulièrement utile. Pour plus de clarté, je vais répéter ici les points essentiels.

Si vous pensez à votre bouche comme à l'ouverture de votre vagin et à vos mains comme à une extension de votre bouche, vous serez capable de vous en servir pour le plus grand plaisir de votre partenaire. Commencez par lécher son pénis en gardant votre langue bien humectée de salive. Faites en sorte que votre langue soit aussi pointue que possible et touchez-en délicatement les parties qui entourent la zone la plus sensible: le gland. Si, à ce moment — ou à n'importe quel moment — vous vous mettez à penser que c'est sale, déplaisant ou que vous devenez anxieuse, *concentrez-vous totalement* sur ce que vous êtes en train de faire avec vos mains et votre bouche.

Maintenant léchez et caressez le pénis, en vous concentrant sur la ligne qui court au centre de sa partie inférieure. En gardant la langue pointue, donnez des petits coups de langue légers en arrière puis en avant sur la petite ligne de peau qui relie le gland au membre: pour beaucoup d'hommes, il s'agit là de la partie la plus sensible du pénis, celle qui réagit le plus. Vous pouvez vouloir lécher ou embrasser ou caresser le membre de votre langue sur toute sa longueur. N'oubliez pas de vous décontracter, de respirer et concentrez-vous sur le fait que vous êtes en train de donner du plaisir.

Maintenant revenez à l'endroit où le gland se rattache au membre. Prenez votre temps mais n'hésitez pas: faites des mouvements fluides, sans à-coups. Vous pouvez envelopper le pénis de votre bouche en gardant les lèvres retroussées en forme d'ovale serré qui couvre vos dents et en faisant reposer le pénis sur votre langue. C'est maintenant qu'entre en jeu la très importante friction orale par laquelle votre bouche et votre langue imitent les mouvements d'avant en arrière et l'effet de massage du vagin. Faites aller et venir votre bouche, vers le haut puis le bas du pénis, en gardant sans cesse à l'esprit que vos lèvres et votre bouche devraient faire le même effet qu'un vagin bien douillet. Commencez lentement et augmentez insensiblement votre vitesse avec chaque mouvement.

Il semble y avoir deux écoles de pensée quant à ce qui est le plus agréable dans le sexe oral. Certains hommes affirment que plus grande est la partie du pénis prise dans la bouche, plus c'est agréable pour eux. Si votre partenaire se range dans cette catégorie, vous pourriez être intéressée à savoir que le truc utilisé par Linda Lovelace* consistait à lancer sa tête en arrière au-delà du bord du lit de façon que sa bouche forme un long couloir. Si vous avez tendance à vous étouffer parce qu'il commence à pousser ou que votre gorge ne peut accepter suffisamment de son pénis, arrêtez-vous un

---

* Actrice pornographique rendue célèbre aux États-Unis (et dans le monde) par le film *Deep Throat* (Gorge profonde) où elle se livrait à l'activité décrite ici. *(N.d.T.)*

instant, respirez profondément pour détendre vos muscles et reprenez.

Un autre groupe d'hommes pense que le gland est la partie la plus sensible du pénis et qu'il suffit que la bouche couvre cette partie plus un ou deux pouces du reste du membre. Si votre mari ou amant appartient à ce groupe, servez-vous d'une de vos mains comme d'un prolongement de votre bouche. Faites un cercle autour du pénis avec votre pouce et le bout de vos doigts, en laissant votre bouche toucher ou presque toucher le gland. Puis bougez votre main de haut en bas le long du membre au même rythme que votre bouche. Quand votre bouche descend le long du membre, votre main descend elle aussi et vice versa. Vous pouvez également vous servir de votre autre main pour caresser la partie exposée du pénis ou pour effectuer de légers mouvements sensuels des doigts sur les testicules et l'orifice anal.

Si vous êtes dans une position qui vous permette de voir, vous constaterez qu'après quelques minutes de ce genre de stimulation intense le scrotum commence à se resserrer et à remonter vers la cavité corporelle. Ce changement indique que l'orgasme est proche. Si vous n'êtes pas en mesure de voir, vous pourrez probablement vous en rendre compte par ses soupirs et ses gémissements ou par la contraction des muscles de ses jambes et de ses orteils. Vous pouvez alors vous arrêter et passer à quelque chose d'autre ou bien continuer jusqu'à l'orgasme. Si l'orgasme se produit, vous devrez faire face à la question de savoir si vous allez avaler son sperme. Ne faites rien qui vous mette mal à l'aise. Certains hommes considèrent que c'est une preuve particulière d'amour qu'une femme avale leur sperme. D'autres ne voient pas cela comme "une si grosse affaire", mais il reste que c'est vraiment matière de goût.

Voici deux conseils d'"experts" que vous pourrez trouver utiles:

L'application d'une petite quantité de lotion corporelle non parfumée ou de gel K-Y sur le pénis rend vos mouvements plus fluides et procure au pénis encore plus de friction. Si vous ne pouvez supporter le goût légèrement médicamenteux des lotions ou des gels, essayez de n'appliquer du lubrifiant que sur la partie inférieure du pénis, la partie qui est en contact avec votre main.

Plusieurs hommes ont affirmé être extrêmement stimulés lorsqu'on serre le haut de leur scrotum pendant le sexe oral. Servez-vous de votre main libre en formant un cercle de votre pouce et du bout de vos doigts autour du haut du scrotum, juste en dessous de la base du pénis. Lorsque vous sentez que le scrotum se contracte et remonte à l'approche de l'orgasme, relâchez votre étreinte ou retirez complètement vos doigts.

Pour les hommes: pensez à votre langue et à vos mains comme à des instruments capables de donner la plus merveilleuse variété de sensations à votre femme ou amante. Beaucoup de femmes s'imaginent que leurs amants n'aiment pas vraiment les stimuler oralement. Rassurez votre partenaire en lui disant: "J'adore te faire ça", si c'est vraiment ce que vous pensez.

Souvenez-vous que tous vos mouvements devraient être ininterrompus, à moins que votre partenaire ne réclame le contraire. À la différence de l'homme, le niveau d'excitation d'une femme tombe brusquement si la stimulation s'arrête, ne serait-ce qu'une ou deux secondes. Certaines femmes réagissent vite à une stimulation orale/manuelle, mais beaucoup d'entre elles ont besoin d'au moins dix à quinze minutes pour atteindre un haut niveau d'excitation.

Vous pouvez vous servir de votre langue de bien des façons différentes: maintenez-la pointue, puis arrondissez-la ou mettez-la à plat et concentrez-vous d'abord sur les parties qui entourent le clitoris, en partant des grandes lèvres du vagin jusqu'à la zone immédiatement adjacente au clitoris, jusqu'à la gaine du clitoris et enfin jusqu'au clitoris lui-même à moins que l'on ne vous indique d'arrêter (beaucoup de femmes ne peuvent supporter que très peu de stimulation directe). Faites bouger votre langue de droite à gauche, de haut en bas et n'appliquez qu'une pression *légèrement* plus forte quand vous percevez un plus haut degré d'excitation chez votre partenaire. Ne vous inquiétez pas si le clitoris n'est pas encore "en érection", souvenez-vous que le rythme d'excitation d'une femme est bien plus lent que le vôtre. Si, à n'importe quel moment, vous commencez à vous sentir anxieux ou à sentir que vous ne "lui faites pas ce qu'il faudrait", concentrez-vous simplement sur votre respiration et sur les mouvements de votre langue et ne vous arrêtez pas. Vous pourriez alors passer à la stimulation manuelle du clitoris (en gardant vos mouvements aussi délicats et légers que ceux de votre langue), tout en explorant l'ouverture du vagin avec la langue. Souvenez-vous que si la façon dont vous stimulez le clitoris est trop appuyée ou si vos mouvement deviennent trop répétitifs (par exemple, vous caressez tout le temps de gauche à droite), vous pouvez rendre le clitoris insensible.

Vous pouvez imiter le mouvement de votre pénis en poussant votre langue pointue ou arrondie dans l'ouverture du vagin puis, si vous le voulez, inverser le tout en stimulant le clitoris de la langue tout en insérant un ou deux doigts dans le vagin, en imitant là aussi les mouvements de va-et-vient de votre pénis. (Plus d'une femme m'a rappelé de ne pas oublier "d'avoir l'amabilité d'écrire que les ongles devraient être parfaitement propres et très courts".) Certaines femmes aiment être stimulées analement pendant le sexe oral. Vous pouvez aussi appliquer un vibrateur sur la surface de l'anus tandis que vous vous servez de votre bouche et de votre autre main pour stimuler le clitoris et le vagin. N'oubliez pas que les zones très sensibles de l'extérieur et de l'intérieur du vagin devraient être bien lubrifiées de lubrifiant naturel, de gel K-Y ou de lotion corporelle non parfumée. Certains hommes font remarquer que le goût des gels ou des crèmes n'est pas très agréable. Cela vaut bien le coup d'essayer plusieurs marques différentes pour en trouver une qui soit acceptable.

Après un certain temps, vous pouvez avoir l'impression que vous avez "perdu" le clitoris. Ce qui s'est passé, c'est qu'il s'est rétracté sous son "capuchon", réaction naturelle quand une femme est très excitée ou approche de l'orgasme. Continuez vos mouvements jusqu'à l'orgasme. À moins qu'elle ne vous demande d'arrêter, continuez de la stimuler jusqu'à ce qu'elle ait un autre orgasme ou passez à la pénétration ou à toute autre activité que vous préfériez tous deux à ce moment. Souvenez-vous toujours que la sexualité féminine n'est pas uniquement génitale. N'oubliez pas d'embrasser ses jambes, ses bras, ses lèvres, ses seins tout en continuant à la stimuler de vos doigts.

Après l'acte

Environ les deux tiers des hommes et des femmes s'endorment après l'acte sexuel. La moitié d'entre eux se laissent aller à la somnolence en l'espace de quelques minutes. Mais les hommes et les femmes qui ne se retirent pas dans l'intimité de leurs rêves personnels disent que le temps que l'on passe ensemble après avoir fait l'amour est irremplaçable pour créer une véritable intimité. Le mot clé dans ce domaine c'est *ensemble:* parler (*surtout pas* du travail, des enfants ou de l'hypothèque), rire et même regarder la télé ou partager un plat de crème glacée, tout cela fait rejaillir les sentiments d'affection et d'amour sur un autre plan de vos vies. Faites-vous savoir l'un à l'autre, en paroles ou par des caresses, que vous avez eu du plaisir, que le temps passé ensemble a été important et riche de sens.

Si les choses ne se sont pas bien passées — et, bien évidemment, il y aura des moments où l'un d'entre vous sera particulièrement tendu et stressé — ne vous étendez pas trop sur le problème mais ne l'écartez pas non plus comme s'il n'existait pas. Réaffirmez-vous plutôt que vous vous aimez, dites-vous que peut-être ce soir ce n'était pas le paradis mais qu'il vous reste toujours demain!

Deux bonnes idées

J'ai déjà suggéré l'inversion des rôles comme moyen intéressant et immédiat de découvrir quel type de toucher chacun d'entre vous préfère. C'est tout aussi fascinant et instructif — probablement plus encore — d'essayer cela en faisant l'amour proprement dit.

Changer de rôle vous donne une chance de montrer à votre mari comment vous aimeriez exactement qu'on vous fasse l'amour. Si vous parvenez à imaginer que vous êtes lui, vous pouvez aussi avoir une petite idée de "l'angoisse de la performance" qu'il peut éprouver, et si vous êtes timide ou généralement passive, cela devient votre responsabilité de "prendre les choses en main", pour voir ce que ça fait vraiment d'être celui qui prend les initiatives et voir aussi comment votre partenaire répond à vos mouvements. Réciproquement, le changement de rôle vous aide à faire l'expérience du rythme et du toucher dont votre femme ou amante a besoin et vous aide aussi à connaître l'état émotionnel dans lequel elle se trouve lorsque vous faites l'amour.

Une autre idée pratique qui vous amènera tous deux à explorer de nouveaux types d'expériences sans vous sentir mal à l'aise ou anxieux, c'est ce que j'appellerai "l'accord de dix minutes". Vous vous mettez d'accord pour faire, pendant dix minutes, ce que l'autre veut. Si vous préférez, vous pouvez modifier les "règles" en excluant des choses que l'un ou l'autre d'entre vous trouve très gênantes ou que vous n'êtes pas prêts à faire pour le moment. Commencez par dire, par exemple, à votre partenaire, que vous aimeriez essayer le sexe oral pratiqué d'une façon particulière ou que vous voudriez voir quel effet produit telle nouvelle position ou telle nouvelle technique. Alternez vos demandes de façon que chacun de vous ait deux périodes de dix minutes pour recevoir du plaisir de la façon qu'il préfère.

Même si cette suggestion peut paraître de prime abord trop cynique, vous serez très surpris des importantes informations que vous pouvez échanger l'un avec l'autre, quand vous vous êtes donné mutuellement la permission d'exprimer librement vos besoins.

Et la contraception?

La pilule et les appareils intra-utérins ne présentent habituellement aucun problème lorsqu'on fait l'amour. Les autres méthodes qui empêchent physiquement la conception sont connues sous l'appellation générale de "barrières contraceptives". Elles comprennent les diaphragmes, les condoms et les spermicides. Les barrières contraceptives, quand on s'en sert convenablement, sont très efficaces. Leur problème, cependant, est essentiellement d'ordre esthétique.

On peut dire que sexuellement nous avons parcouru un bon bout de chemin quand on voit que la feuille d'instructions qui accompagne un diaphragme suggère que votre mari ou amant puisse vouloir participer à son insertion. Le fait est que la contraception vous concerne tous deux et qu'il vous faut en parler ouvertement. Si vous êtes timide ou que ça vous gêne, le chapitre "Comment parler du sexe" devrait vous aider.

Si vous utilisez un diaphragme ou un condom avec des spermicides, assurez-vous que vous vous en servez convenablement. Beaucoup de gens se plaignent du mauvais goût des contraceptifs. Un lavage soigneux et délicat des parties génitales après l'insertion élimine généralement le problème.

On travaille sans cesse sur de nouveaux contraceptifs. Un thé exotique, mais jusqu'à présent peu connu, est expérimenté comme méthode simple et naturelle de contrôle des naissances; on réexamine et on refait les bouchons cervicaux, et il existe un nouveau moyen, qui en est aux derniers stades de la vérification: "l'éponge". L'éponge, faite de matière synthétique, s'adapte au cervix et donne quarante-huit heures de protection contre la grossesse — ce pourrait être le contraceptif esthétiquement idéal des années 80.

Un autre point sur lequel les couples peuvent être en désaccord c'est l'acte sexuel pendant les menstruations. Certaines personnes aiment ça, d'autres en ont horreur, d'autres encore sont plutôt tièdes face à ce problème. Ce que j'ai pu obtenir sur ce point se rapprochant le plus d'un véritable consensus c'est que les femmes qui ont un flot menstruel considérable et/ou des crampes n'apprécient pas le sexe le premier ou les deux premiers jours. (Il est intéressant de remarquer que beaucoup de femmes ont dit avoir plus envie de sexe les trois ou quatre jours qui précèdent ou qui suivent les menstruations.) Un gynécologue rappelle que, si vous vous sentez mal à l'aise avec le flux menstruel, l'insertion d'un diaphragme peut fournir une barrière temporaire. Soit dit en passant, les instructions qui accompagnent un diaphragme soulignent qu'il faut l'utiliser *chaque fois* qu'un couple fait l'amour.

Les problèmes d'érection

Cela peut arriver n'importe quand, n'importe où, à n'importe quel homme, et un problème d'érection rencontré une seule fois ou de temps en temps a une façon désagréable de devenir quelque chose de plus sérieux, à moins d'être traité immédiatement.

Aucun homme n'est à l'abri de cela, et cette situation peut se produire pour toutes sortes de raisons: trop de stress, trop de boisson, un partenaire indifférent et qui ne réagit pas, voilà seulement quelques-unes des causes possibles. Si vous gardez à l'esprit que le déclencheur est généralement une peur sexuelle fondamentale, l'angoisse devant la performance, vous pouvez tous deux faire beaucoup pour résoudre le problème. D'une façon ou d'une autre, le "remède" implique que vous écartiez de votre esprit la hantise d'avoir une érection et que vous vous attachiez seulement à éprouver du plaisir.

Le premier pas à faire est de parler de cette situation. Une femme dont le mari, après deux expériences d'impuissance, évitait complètement toute relation sexuelle, m'a dit: "Je n'ai rien voulu dire à ce sujet parce que je savais qu'il se sentait misérable. Je pensais qu'une nuit nous ferions simplement l'amour et que ça disparaîtrait. Une année s'est écoulée — sans aucun rapport sexuel — avant que nous puissions parvenir à en parler." Ne tombez pas dans le piège très courant que ce couple s'est tendu, parlez-en dès que ça se produit. Rassurez-vous mutuellement: ce n'est pas la fin du monde, et en plus vous vous aimez (beaucoup de femmes pensent que l'absence d'érection est causée par quelque chose qu'elles ont fait), décidez donc d'affronter ça ensemble le plus tôt possible.

Le plus sage est de suivre le conseil que donnent les thérapeutes à leurs patients. Le premier jour, ils suggèrent aux couples de se caresser mutuellement le corps de façon sensuelle et sans avidité, en évitant les parties génitales. Le jour suivant, il est permis de toucher et de caresser les seins et les parties génitales — mais sans en arriver à l'acte sexuel. Après une ou plusieurs séances, un homme a généralement une érection spontanée.

Un autre conseil souvent donné est de vous contenter de préliminaires amoureux, les nuits suivantes. Après une semaine ou dix jours, l'érection se produit généralement, mais il faudrait encore garder l'accent sur le plaisir, la tendresse et la stimulation sensuelle, et non le placer sur la performance. Votre attitude devrait être détendue et naturelle: si j'ai une érection, tant mieux, sinon il y a toujours demain.

Si cette situation est devenue chronique, cela peut ne pas être un problème psychologique mais un problème physique. Des recherches récentes montrent que bien des cas d'impuissance que l'on attribuait à des raisons psychologiques sont en fait d'origine physique ou peuvent être dues à certaines drogues prescrites par des médecins. On peut généralement faire beaucoup pour remédier à une impuissance durable, que sa cause soit psychologique ou physique, et vous devriez, dans un tel cas, parler à un thérapeute ou voir votre médecin dès que possible.

XI

Comment vaincre l'état de dépression ressenti au lit

L'intimité sexuelle ne forme qu'une partie de l'intimité véritable, mais c'est une partie cruciale. Si faire l'amour se réduit à une obligation — ou tombe dans l'oubli — une relation court de graves dangers. En parlant abondamment avec des hommes et des femmes, de l'Est à l'Ouest et du Nord au Sud, j'ai découvert que les problèmes que l'on connaît au lit s'installent le plus souvent après deux, trois ou quatre ans de mariage. Mais les cas où l'intimité sexuelle avait disparu en aussi peu que trois mois n'étaient pas non plus si rares que cela.

Les causes de ces problèmes sont complexes et peuvent comprendre la colère, l'insécurité, le ressentiment, l'angoisse à propos des enfants, des carrières ou de la santé, un éloignement progressif sur le plan émotionnel, la peur de la sexualité, et même la peur du plaisir, ou tout simplement l'ennui. Il y a plusieurs choses importantes à se rappeler si l'on veut que la relation que l'on vit ne fasse que prospérer d'année en année.

La première et la plus importante, *ne considérez jamais que vous vous appartenez l'un l'autre définitivement*. Sachez qu'une relation ou un mariage change, comme toute chose vivante, et que les êtres humains changent, eux aussi. Savoir reconnaître les changements émotionnels et physiques ainsi que les changements dans vos besoins est une façon de croître ensemble au lieu de vous éloigner l'un de l'autre. La plupart des experts s'entendent pour affirmer qu'une des raisons majeures de la rupture d'un mariage est l'accumulation de besoins restés insatisfaits. Une femme peut avoir besoin de plus d'affection, de tendresse, de quelqu'un qui puisse l'écouter et se montrer plus compréhensif, un mari peut avoir besoin d'être materné ou de faire l'amour plus souvent: la liste des besoins est presque inépuisable et, bien sûr, varie avec chacun de nous. Pour éviter l'angoisse d'une confrontation avec nos partenaires, beaucoup d'entre nous, consciemment ou non, cachent leurs désirs ou leurs besoins véritables. Ceci déclenche une désagréable réaction en chaîne: si vous ne dites pas ce que vous voulez, non seulement ne l'obtiendrez-vous pas, mais vous éprouverez probablement en outre du ressentiment, de l'angoisse, de la colère, de l'hostilité ou de la culpabilité. Faire connaître vos besoins et vos désirs est *absolument essentiel* si vous voulez que votre relation survive — à plus forte raison qu'elle prospère. De plus, ces besoins changent à mesure que nous dépassons nos croyances, nos attitudes et l'image que nous avons de nous-même. Un dialogue constant au long des années est la seule façon de faire reconnaître et accepter ces changements. Ceci est vrai de tous les aspects de l'intimité aussi bien que de ce qui regarde le domaine sexuel.

Ce sont *deux* personnes qui entrent dans une relation amoureuse. L'ennui et les disputes peuvent vite remplacer l'excitation et la fascination si ces deux personnes ne se développent pas séparément tout autant qu'ensemble. Lorsqu'on nourrit son moi indépendant tout entier, on peut lui permettre de se fondre à un autre. Le respect de soi et le sentiment de sa propre valeur, cultivés et renouvelés avec les années, représentent un élément essentiel d'une relation durable.

Le maintien du statu quo émotionnel est un autre piège insidieux dans lequel tombent plusieurs d'entre nous. Plutôt que de dire ou faire quelque chose qui risque de secouer leur relation, beaucoup d'hommes et de femmes s'accrochent à des comportements routiniers et ennuyeux. L'acte sexuel, les vacances, les conversations à table deviennent prévisibles, non provocants et aseptisés. Si vous pensez que vous "faites plaisir à votre partenaire" en ne lui disant pas ce que vous voulez ou ce que vous ressentez — ou en lui disant ce que d'après vous il (ou elle) veut entendre — vous commettez une grave erreur.

Une bonne façon d'identifier ce piège consiste à vérifier combien de fois on se dit à soi-même: "je devrais", "je dois", "il faut que je", "j'aimerais être capable de". Si vous découvrez que ces phrases ne vous sont que trop familières, il vous faudra examiner soigneusement vos propres besoins ainsi que les bases sur lesquelles repose votre relation.

Il est un autre aspect d'une relation amoureuse durable qui mérite une mention particulière. C'est qu'il ne faut pas vous attendre à vivre une expérience transcendante chaque fois que vous faites l'amour. Si vous croyez que cela devrait être un feu d'artifice à chaque fois, il vous faudra tous deux simuler beaucoup. Et la simulation c'est très exactement le contraire de l'intimité. Le désir sexuel, la passion sexuelle et l'enthousiasme sexuel vont et viennent, comme les autres émotions. Même dans les relations les plus intenses et les plus intimes, l'acte d'amour connaîtra des hauts et des bas. C'est naturel, normal et sain, mais ce qui *devrait* durer toujours, c'est la volonté constante d'agir pour que la relation fonctionne.

L'un ou l'autre d'entre vous peut ne pas avoir envie de faire l'amour quand l'autre en a envie. C'est parfaitement normal d'être sur des longueurs d'onde sexuelles différentes. Chacun de nous a un niveau différent de pulsion sexuelle et ce niveau change probablement chaque jour. Si vous avez établi une bonne communication, vous devriez pouvoir exprimer, sans blesser l'autre, ce que vous voulez ou ne voulez pas. Si, à un certain moment, le sexe ne vous intéresse pas, il est bon d'essayer d'expliquer pourquoi vous êtes comme ça, à ce moment-là. Les problèmes du bureau, la peur de manquer d'argent, l'angoisse quant à la santé, la carrière, la famille, tout cela peut causer un manque de désir temporaire.

Si vous n'avez pas de problème particulier et que vous n'avez pas cependant l'esprit à faire l'amour, cela peut être tout simplement dû aux fluctuations normales du désir sexuel. Mais soyez honnête avec vous-même et l'un avec l'autre. Ne dites pas que ce sont les paiements hypothécaires qui vous dérangent quand vous êtes en réalité en colère contre votre belle-mère ou que vous êtes furieux de ce que vous a dit votre partenaire, il y a une semaine, au dîner. Souvent, quand vous exprimez ce qui vous perturbe, les barrières sexuelles tombent et vous pouvez faire l'amour sans être gêné par quelque émotion négative que ce soit. Cependant, si vous constatez que le manque de désir dure plus d'une dizaine de jours, il serait sage de voir d'abord s'il n'y a pas là un problème physique et ensuite, si nécessaire, de consulter un thérapeute.

Avant de parler des façons spécifiques de vaincre l'état de dépression ressenti au lit, il y a un autre point important à ne pas oublier: la *séduction de l'amour*. Je veux dire par là qu'une personne qui se sent vraiment aimée, qui se sent le seul objet d'attention, qui sent que son (ou sa) partenaire est vraiment emporté par le désir, cette personne est sûrement candidate à un bonheur durable.

Les listes de recommandations qui suivent, une "pour elle", l'autre "pour lui", donnent des informations que chacun de vous pourra trouver utiles pour garder les choses à un niveau excitant, romantique et sensuel, année après année...

Pour elle

Faites-lui savoir que vous êtes vraiment intéressée au sexe. La plupart des hommes que j'ai interrogés m'ont dit qu'ils sentaient que leurs femmes ou leurs amantes étaient "tièdes", "trop rigides" ou "trop inhibées" à propos du sexe. Être vraiment intéressée veut dire apprécier pleinement et sans restriction sa sexualité naturelle, saine et pleine de désir. Pour une femme, cela peut vouloir dire se permettre d'éprouver le caractère purement physique de l'acte sexuel ou reconnaître son désir de faire l'amour au lieu de le réprimer ou de se sentir coupable. Pour une autre, cela peut vouloir dire quelque chose d'aussi simple que de faire savoir à son mari que sous sa robe du soir noire et discrète elle ne porte rien d'autre que des bas et un porte-jarretelles. Pour une autre encore, cela peut signifier rassembler tout son courage pour avoir une discussion franche sur les problèmes sexuels existant dans son mariage ou se permettre d'explorer certaines fantaisies sexuelles avec son mari.

Lui faire savoir que vous pensez vraiment que le sexe est formidable et que vous vous y consacrez avec un esprit ouvert et un corps consentant, c'est donner à un homme une des plus grandes excitations qu'il puisse connaître.

Envoyez des messages sensuels. "Les vêtements, écrit Alison Lurie dans un article sur "Le sexe et la mode" (*New York Review of Books*, 22 octobre 1981), peuvent nous dire si la personne qui les porte est intéressée au sexe... Des vêtements soyeux, flottants, de couleur chaude suggèrent traditionnellement une personnalité chaleureuse, ouverte, affectueuse, et un vêtement en partie défait non seulement révèle plus de chair, mais implique aussi que la nudité totale sera facilement obtenue. Des vêtements étroits, boutonnés ou serrés jusqu'au col (du moins s'ils ne sont pas moulants) donnent l'impression qu'ils habillent une personne rigide et retenue sur le plan érotique."

Si, pour le monde extérieur, vous devez absolument être une avocate boutonnée jusqu'au col dans un complet distingué, une mère ou une chef de bureau aux vêtements conservateurs, vous pouvez du moins envoyer un message sensuel à votre mari en portant des vêtements auxquels il puisse réagir dans les moments d'intimité que vous pouvez avoir ensemble. Des sous-vêtements noirs en dentelle révélateurs et des bas sont traditionnellement considérés comme érotiques, et beaucoup d'hommes sont instantanément excités par la vue d'une femme ainsi parée. Mais faites attention. Si vous êtes le genre de femme qui n'a jamais porté de sous-vêtements particulièrement sexy, *prévenez* d'abord votre mari que vous songez à essayer quelque chose de nouveau. Sinon, il pourrait être démonté par votre nouveau style et cela pourrait même ne pas l'attirer.

En parlant de style, tenez-vous-en à des vêtements dans lesquels vous vous sentez bien. "Je me sentirais tout à fait déplacée dans un "baby doll", dit une secrétaire de Los Angeles que j'ai interrogée, et ma gêne paraîtrait certainement. J'aime plutôt les pyjamas. Dernièrement, j'ai abandonné les pyjamas de flanelle pour des pyjamas de satin, et mon mari les a trouvés très séduisants. Si l'on *se sent* sexy dans un vêtement, on *est* sexy dedans." "Il y a une différence entre des vêtements sexy et des vêtements accrocheurs", dit un élégant propriétaire de motel d'Atlanta, qui résume ainsi l'opinion de beaucoup d'hommes. "Si un vêtement est trop serré ou trop collant, ça me gêne, mais j'aime l'allure qu'a une femme dans du tissu soyeux, des bas de nylon et une robe qui me dit qu'en dessous elle a un corps. Si cela fait de moi un cochon de sexiste, eh bien tant pis!"

Les effets visuels. Comment se fait-il donc que les hommes trouvent les sous-vêtements noirs si sexy? Parce que, dans l'oeil du spectateur, un vêtement noir en dentelle évoque immédiatement un certain érotisme et peut-être même une délicieuse perversité chez celle qui le porte. Le sous-vêtement n'est pas sexy en lui-même, c'est la façon dont un homme *voit* la femme qui le porte qui est excitante.

Comme de plus en plus de recherches soulignent les effets sur les hommes de réactions visuelles précoces, il paraît logique que les femmes se servent de cette information pour faire l'amour. La vue de bas noirs ou d'un porte-jarretelles jetés négligemment sur une chaise dans une chambre, les images d'un livre de photos érotiques, des dessins explicites dans des catalogues de sex-shops ou des estampes érotiques miniatures, indiennes ou persanes, tout cela provoque chez les hommes de puissantes réactions physiques et leur fait apprécier la femme qui comprend leur importance.

Depuis quelques années, certains couples ont découvert qu'ils pouvaient être excités par des photos polaroïd prises quand ils font l'amour. Un couple auquel j'ai parlé se photographiait ainsi en action, grâce à de savants jeux de miroirs installés dans leur chambre. C'est encore la stimulation visuelle qui joue ici: voir différentes positions et diverses parties du corps peut s'avérer un puissant aphrodisiaque aussi bien pour les femmes que pour les hommes.

Une autre façon d'explorer l'univers du visuel consiste à se fabriquer des images avec des mots. "L'esprit est le plus important de nos organes sexuels", a dit quelqu'un. Une femme que j'ai interviewée m'a dit que son mari et elle échangeaient des récits érotiques, en insistant sur les détails les plus délicats et les plus crus de façon à imprimer dans leurs esprits des images hautement érotiques et quasi photographiques. Si votre imagination n'est pas orientée vers l'art de conter des histoires, essayez de vous lire à haute voix l'un à l'autre des livres érotiques. Le *Kâma sûtra* ou *l'Art d'aimer* d'Ovide sont deux oeuvres merveilleuses que l'on peut trouver dans la plupart des librairies.

Pour lui

Du romantisme, encore du romantisme, toujours du romantisme. On ne saurait trop insister sur l'importance du romantisme, et, certes, la plupart des femmes vous diront que c'est essentiel si vous voulez que votre mariage reste excitant et en vie. Cela veut dire être spontané, aventureux, excitant, un vrai prince charmant. Cela veut dire ramener à la maison une rose ou un bouquet de violettes sans autre raison que de dire "je t'aime" ou encore offrir à votre femme ou amante un disque ou une cassette que vous trouvez tous deux très spécial.

Pour bien des femmes, cela semble vouloir dire *faire* quelque chose et pas seulement le dire. "Parfois, cela peut être un peu trop facile de répéter sans cesse: "Je t'aime." Cela a signifié bien plus le jour où mon amant m'a offert les sonnets amoureux de Shakespeare avec une merveilleuse dédicace", dit une programmeuse d'ordinateurs du Delaware. Envoyer à une femme une carte ou un petit mot avec un poème ou une phrase affectueuse fait plus pour la courtiser qu'une déclaration d'amour de routine. Un ami m'a parlé d'un journaliste qui avait poussé cela jusqu'à ce qui est peut-être un sommet: Édouard, correspondant à l'étranger, était toujours parti et passait les trois quarts de son temps loin de la femme aimée, Lise. Un matin, dans la salle de bains, en déroulant le papier hygiénique, elle tomba sur des petits bouts de papier blanc qui disaient: "Je t'aime", "Tu me manques", "Je reviendrai"... en s'envolant du rouleau.

Ce qui semble le plus déplaire aux femmes, c'est le romantisme intéressé ou encore de routine. "On peut dire d'instinct s'il envoie des fleurs ou vous invite à dîner pour pouvoir vous déshabiller plus vite", dit une femme. Au contraire, quand le "but" du romantisme c'est simplement d'être romantique, on finit bien souvent par faire l'amour.

De la compréhension. Prenez le temps de vraiment écouter ce qu'elle dit et essayez de comprendre ses attitudes et ses problèmes, en ce qui les différencie des vôtres. Si elle dit qu'elle est fatiguée, elle l'est probablement vraiment. Rien ne séduira plus une femme que d'offrir de lui faire couler un bain ou de lui faire un bon grog chaud pour la remonter si elle est épuisée d'avoir passé dix heures avec les enfants et/ou dans un bureau plein de problèmes. Si vous prenez le temps de sympathiser avec elle, d'apprendre quelle sorte de journée *elle* a passée, elle sera plus reconnaissante — et plus amoureuse — que vous ne pourriez l'imaginer.

Parlez-lui. "Rien n'est plus frustrant qu'un homme qui ne révèle pas ses sentiments", dit une secrétaire de Nashville, et beaucoup de femmes lui font écho. On chérit grandement l'homme qui fait un effort pour communiquer ce qui se passe dans sa vie intérieure et dans sa vie sociale. L'homme qui prend simplement le temps de parler à sa femme ou à son amante lui montre ainsi qu'il se soucie vraiment d'elle, qu'il veut vraiment que leur relation s'épanouisse et dure.

Lui parler signifie aussi lui dire que vous l'aimez et que vous pensez qu'elle est la plus belle, la plus charmante, la plus intéressante femme au monde — *si vous le pensez vraiment.* Et n'allez pas vous imaginer que parce que vous lui aurez dit une fois qu'elle a un sens de l'humour sensationnel, qu'elle est une mère formidable ou une brillante hôtesse, elle va pouvoir vivre de ces compliments pendant les douze prochains mois. Nous avons besoin d'entendre que nous avons de la valeur, que l'on a besoin de nous, que l'on nous aime — et nous avons besoin de l'entendre souvent. Par-dessus tout, dites à votre femme ou amante à quel point vous la désirez vraiment — au lit et en dehors du lit. Il n'existe tout simplement pas de plus grande excitation que cela. "Dites-lui qu'elle est une merveilleuse amante et elle le deviendra", dit un homme brillant et séduisant de Portland. "Les femmes ont besoin de se sentir à l'abri, protégées et attirantes. Un homme qui dit à sa femme qu'il n'en peut plus d'attendre de lui faire l'amour se verra conduit par elle directement à la chambre à coucher."

Si vous vous souvenez que les filles lorsqu'elles sont toutes petites sont extrêmement sensibles aux sons, en particulier aux voix, vous pourrez comprendre pourquoi les femmes adultes sont charmées, ravies et très réceptives à l'amant qui leur lit des poèmes. Les choses classiques que font les grands amoureux — par exemple lire de la poésie ou murmurer des mots d'amour ont maintenu le romantisme en vie et prospère siècle après siècle.

Prenez les choses en main. Une femme qui passe son temps à prendre soin des enfants et de vous et qui travaille en plus au bureau, a besoin que l'on s'occupe d'elle aussi. "La meilleure chose que Joe ait jamais faite ce fut de me donner une fin de semaine complète où je n'ai rien eu d'autre à faire que de me sentir comme une princesse, dit une femme que j'ai interviewée. Il avait arrangé ça dans les moindres détails. Il avait acheté des billets pour une pièce à Broadway, avait réservé une table dans un restaurant élégant, il y avait même une bouteille de vin au frais à notre table quand nous avons pris place. Quand nous sommes rentrés à la maison, j'ai trouvé une médaille et une chaîne en or sous mon oreiller, et le lendemain matin j'ai eu droit au petit déjeuner au lit et il a fait également la vaisselle... Je commence déjà à penser à une gâterie spéciale pour lui, cette fois."

Peut-être n'êtes-vous pas capable d'aller aussi loin dans le rôle du prince charmant, mais pensez, par exemple, à lui dire: "Encercle le prochain samedi sur le calendrier et attends-toi à une surprise!" Achetez des billets pour un concert spécial ou prévoyez un brunch pris sans se presser dans un de vos restaurants préférés ou encore organisez un pique-nique romantique sous les étoiles avec un sac d'épicerie rempli de pain, de vin et de fromage. Fourrez-y un petit cadeau (son eau de Cologne favorite, un livre, une carte, un bouquet de fleurs) en guise de touche finale.

XII

Mettre son âme à nu quand, où et comment parler de sexe

Marie est une rousse de trente et un ans énergique et qui s'exprime bien. Elle est mariée à Paul, trente-quatre ans, depuis neuf ans. Ils habitent une maison adorablement restaurée de Philadelphie où ils partagent beaucoup d'intérêts, parmi lesquels une passion pour la haute cuisine et les orchidées rares et exotiques qu'ils cultivent dans une serre petite mais remarquablement efficace que Paul a construite avec leurs deux jeunes garçons.

Grattez un peu la surface de ce que les voisins vous diraient être une relation idyllique et, sur le plan intime, vous découvrirez que Marie simule l'orgasme depuis des années: elle a trop peur de demander la stimulation prolongée dont elle a besoin pour goûter pleinement au sexe. Elle a honte et se sent coupable d'en vouloir plus — beaucoup plus — et elle croit qu'il est trop tard pour dire quoi que ce soit au sujet "du" problème, même si elle parvenait à rassembler assez de courage pour en parler à Paul. Au fond d'elle-même, elle pense que son mari serait anéanti — et même qu'il la quitterait peut-être — s'il devait apprendre la vérité. Alors elle se concentre sur "toutes les bonnes choses" qui remplissent son mariage. Après tout, le sexe n'est pas si important que cela, ne cesse-t-elle de se répéter.

Paul est un homme stable et tranquille qui n'est pas souvent enclin à exprimer ses sentiments, mais depuis quelques années il a eu de plus en plus d'aventures sexuelles d'une nuit avec des call-girls qu'il trouve facilement dans les hôtels où il descend quand il voyage pour sa firme d'ingénieurs. Paul ne pense guère à ces "aventures" et il se répète sans cesse que sa relation sexuelle avec Marie est "ce qui se produit tout naturellement quand on a été mariés pendant neuf ans". Il peut très bien vivre sans le genre de sexe qu'il aimerait avoir avec Marie, du moment qu'elle est heureuse — et, incontestablement, elle semble l'être. Elle réagit vite à ses étreintes, il entend ses petits soupirs de plaisir presque aussitôt qu'elle est dans ses bras, mais ça serait bien d'essayer quelque chose qui lui ferait vraiment plaisir à lui, une fois de temps en temps...

Le mariage de Marie et de Paul — ou leur demi-mariage — est, malheureusement, très typique. Les chercheurs dans ce domaine estiment qu'au moins 50 pour cent des mariages connaissent des problèmes sexuels, mais, pour ma part, je crois que le chiffre doit être encore plus élevé.

Une brillante experte en management que j'ai interviewée m'a raconté ce qui suit:

"Jean et moi sommes mariés depuis six ans. Entre nous, le sexe était bon mais jamais vraiment fantastique. Au cours des trois dernières années, nous avons fait l'amour environ six à huit fois, et à quelques autres reprises il s'est montré impuissant. Mon diaphragme était si vieux et si peu utilisé qu'il commençait à ressembler à un morceau de dentelle. Je ne lui ai pas parlé de ça parce que c'est un individu très secret et que j'ai pensé que ça le rendrait anxieux et peut-être même totalement impuissant. Je sais que le sexe est un sujet très délicat pour un homme et je voulais protéger Jean, l'empêcher de penser que je lui faisais des demandes. Je n'arrêtais pas de penser que les choses s'amélioreraient si nous avions moins de stress dans nos vies, si nous prenions des vacances, si nous déménagions dans un plus bel appartement... J'ai eu une aventure et finalement j'ai demandé de l'aide à un thérapeute... Je réalise maintenant qu'en "protégeant" Jean de ce que je pensais être son problème, moi non plus je n'affrontais pas le problème. Je ne suis pas sûre maintenant que notre mariage va survivre. J'ai l'impression que nous avons tous deux gâché trois années de nos vies."

Cette histoire-là est elle aussi tristement banale: un problème sexuel surgit et prend de l'ampleur parce qu'on l'a négligé et écarté. Si Jean et sa femme avaient pu faire face à la situation ensemble dès le début, beaucoup de la dépression, de la colère, de la culpabilité et du ressentiment qu'ils éprouvent tous deux aurait été évité. C'est presque devenu un axiome que de dire que plus un problème dure plus il devient difficile à régler, mais, dans le domaine sexuel, le pronostic est encourageant: les difficultés sexuelles peuvent très bien réagir à la discussion franche et à la volonté de travailler à les résoudre. Un conseiller matrimonial exprime ça ainsi: "Si vous êtes capables d'accepter un problème, vous êtes généralement capable de le résoudre."

On *peut* remédier à la simulation d'orgasmes de Marie, aux besoins non formulés de son mari, aux problèmes d'érection de Jean. La première chose à faire pour Marie serait de voir un gynécologue afin de déterminer, par un examen physique, s'il peut y avoir des causes physiques (utérus basculé, localisation inhabituelle du clitoris) à son absence d'orgasmes. Rien que de discuter du problème avec un médecin devrait atténuer certaines de ses angoisses et lui faire réaliser qu'elle n'est pas la seule dans son cas — qu'elle est capable de *parler* de ça. Comme "le" problème existe depuis bien des années, il serait sage de ne pas dire de but en blanc à Paul: "J'ai fait semblant", mais il serait plus profitable de lui laisser entendre qu'il y a certains aspects de leur relation physique qui mériteraient une remise à jour ou une réévaluation. Pour lancer la discussion, elle pourrait dire: "J'ai lu un article dans un magazine (ou un livre, ou je l'ai entendu à la radio) sur divers problèmes sexuels et je me suis demandé si tu étais satisfait de notre façon de faire l'amour..." De la même façon, Jean et sa femme doivent affronter leurs difficultés — dans ce cas, des problèmes d'érection — mais avant d'entreprendre quelque traitement physique que ce soit, il faut qu'ils reconnaissent la situation et qu'ils en parlent. Le reste de ce chapitre dit exactement comment faire.

Peut-être que le moyen le plus efficace dont nous disposions pour garder un mariage en santé, c'est la communication, un terme suremployé mais terriblement important. Sans communication, une relation a peu de chance de s'épanouir, encore moins de survivre. "Vous pouvez avoir un mariage "agréable" sans conflits ni problèmes, dit un sage conseiller matrimonial, mais un bon mariage est un mariage dans lequel les problèmes sont affrontés, discutés et traités." Si vous vous montrez capable d'exprimer ce dont vous avez vraiment besoin et ce que vous voulez, sans peur ni honte, on répondra souvent à vos désirs avec une surprenante rapidité. Quand la peur de l'échec, de l'humiliation et du rejet est exprimée ouvertement, elle perd sa capacité de blesser. "J'ai peur que tu me quittes si je te dis ce que je veux vraiment...", "J'ai peur de ne pas pouvoir garder mon érection" ou "Je me sens vulnérable quand je fais ça...", souvent des formules de ce genre sont étonnamment contrées par: "Je veux que nous restions ensemble et je ferai tout ce que je peux pour ça" ou encore plus couramment: "Je ne savais pas que tu éprouvais ça. Dis-m'en davantage..."

Si vous ne dites pas à votre partenaire ce que vous éprouvez et ce que vous voulez, comment voulez-vous qu'il (ou elle) le sache? Un des plus grands problèmes de communication entre deux individus provient de la conviction implicite que le partenaire *devine automatiquement* ce qu'on veut ou ne veut pas. Rien ne saurait être plus éloigné de la vérité. "Essayer d'être un amant efficace pour soi-même et pour son partenaire, sans communication, c'est comme essayer d'apprendre le tir à l'arc les yeux bandés", dit le Dr Kaplan. Masters et Johnson ainsi que les meilleurs experts seraient entièrement d'accord.

Où, quand et comment

Une fois de plus, il n'y a ni "il faut" ni "il serait bon de" en ce qui a trait à la communication à l'intérieur du couple, mais quelques recommandations peuvent s'avérer utiles dans le processus d'apprentissage. *Quand* est-ce le meilleur moment pour parler d'un problème ou d'un besoin sexuel? "Le plus tôt possible", est la réponse évidente même si elle n'est pas si évidente pour beaucoup de couples. Parlez d'un problème quand vous pensez qu'il commence à mûrir, mais n'oubliez pas qu'il n'est jamais vraiment trop tard pour peu que l'on traite du sujet avec intelligence et délicatesse. Si vous vous sentez dépassé ou même incapable d'aborder le sujet, il serait sage de chercher conseil auprès d'un thérapeute qualifié ou de faire d'abord le tour de la situation avec un prêtre ou votre médecin.

Quel est le meilleur *endroit* pour parler de ça? N'importe où, pourvu que ce soit privé, que vous n'y soyez pas interrompus et que vous puissiez y disposer d'un temps illimité. Ces trois conditions rendront la communication bien plus facile. Le lit n'est généralement *pas* un bon endroit pour discuter des problèmes dans la mesure où il semble que bien des gens s'y sentent sur la défensive. Certains couples auxquels j'ai parlé trouvent que la table de la cuisine, autour de laquelle on s'assied avec une tasse de café ou de thé, constitue un territoire "neutre" tout en étant intime et confortable.

Où et quand parler du sexe sont des questions relativement mineures — le plus grand problème pour la plupart des gens c'est *comment* en parler.

La première étape, vous devez l'entreprendre seul. Soyez honnête avec vous-même quant à vos besoins. Demandez-vous ce que vous voulez et ressentez réellement, ce que vous aimez et n'aimez pas. Vérifiez votre état émotionnel: êtes-vous en colère, déprimé, frustré, vous êtes-vous contenté de moins que ce que vous vouliez vraiment? Beaucoup de gens négligent ou évitent leurs propres réactions pendant si longtemps qu'ils n'ont même plus conscience de leurs sentiments. Être nerveux, irritable ou tendu peut être une autre façon d'exprimer des sentiments plus profonds, plus cachés, sentiments que vous pouvez avoir peur de reconnaître. Les larmes, par exemple, peuvent représenter en réalité de la rage ou du ressentiment pour beaucoup de femmes qui ne se permettent pas d'être carrément en colère. L'histoire suivante, que m'a racontée une jeune employée de banque, est un exemple typique de la façon dont on peut arriver à se cacher ses propres sentiments à soi-même:

"J'adore les fleurs, et mon mari le sait, me dit-elle avec un triste sourire. Je justifiais le fait qu'il ne m'en apporte jamais en me disant qu'il était trop occupé ou que ce n'était tout simplement pas le genre à entrer chez un fleuriste — si cela peut bien vouloir dire quoi que ce soit! Je partage mon bureau avec une femme dont l'amoureux lui a récemment envoyé un magnifique bouquet de printemps et je me suis mise à pleurer en le voyant. J'ai été terriblement surprise par mes larmes et encore plus stupéfaite lorsque, en y réfléchissant, je me suis aperçue qu'un énorme sentiment de colère s'était accumulé en moi contre mon mari parce qu'il n'avait jamais accordé d'attention à quelque chose que j'aimais vraiment... parce qu'il n'avait jamais fait attention à *moi*."

Une fois que vous avez pris conscience de ce que vous ressentez vraiment et de ce que vous voulez — ou ne voulez pas — vraiment, vous êtes prêt à entamer une discussion avec votre partenaire, mais souvenez-vous qu'en dépit de toute l'insistance mise sur l'importance de parler de vos sentiments, ce n'est généralement pas une bonne idée de les lancer de but en blanc au visage de votre partenaire. Dire "je ressens ci" ou "je ressens ça" peut n'avoir aucune efficacité à moins que vous ne puissiez dire *pourquoi* vous le ressentez. Quand vous donnez à votre partenaire la raison pour laquelle vous aimez ou n'aimez pas quelque chose, vous pouvez continuer à deux la discussion sur les caractéristiques propres au problème plutôt que de déclencher une confrontation ou une dispute à propos des raisons qui vous font faire, ou refuser de faire quelque chose.

Essayez d'expliquer un problème de la façon suivante:

"Je n'aime pas le sexe oral parce que je ne sais pas le faire", "J'ai peur du sexe oral parce que je pense que c'est sale", "Je suis gênée de ce que mon corps peut goûter ou sentir pour toi", "Je n'aime pas faire ça parce que cela me fait sentir vulnérable", "J'ai peur d'explorer certaines fantaisies parce que je crains de faire quelque chose qui m'embarrasserait" ou "Je m'inquiète de ma performance, parce que c'est très important".

Si vous avez à demander quelque chose dont vous avez besoin ou que vous voulez en plus, essayez de formuler cela de façon positive plutôt que comme une réclamation:

"J'aime quand tu prends beaucoup de temps pour m'embrasser..."
"J'aime beaucoup de touchers et de caresses à cet endroit..."
"Je me sens merveilleusement bien quand tu suces mes seins..."
"Je me demande ce que tu dirais d'explorer quelques petites fantaisies..."
"J'aime sentir ta bouche sur mon pénis..."

Un professeur de vingt-neuf ans nommée Margo résume clairement cette idée en affirmant: "C'est étonnant de voir comme vous obtenez souvent ce que vous voulez si vous le demandez de la bonne façon."

Une fois que vous avez commencé à dire ce dont vous avez besoin et ce que vous voulez, demandez à votre partenaire ce qu'il (ou elle) en pense. Il s'agit d'avoir un véritable dialogue. "Qu'est-ce qui te passe par la tête quand je te demande de...?", "Quelle est ton impression là-dessus?" sont de bonnes façons de commencer. Les thérapeutes rappellent aux couples qu'il ne faut pas qu'ils soient sur la défensive mais plutôt qu'il faut sympathiser l'un avec l'autre en parlant franchement. Il est important que vous voyiez l'autre côté de la médaille, alors, même si ça peut être difficile, faites un effort particulier pour sentir ce que ressent votre partenaire — le rejet, l'insécurité, l'angoisse, la colère — et vous trouverez bien plus facile de comprendre le problème et de commencer à le résoudre.

Même si vous avez lu tout ce qui précède, vous pouvez encore vous sentir angoissé par la nécessité d'aborder un sujet comme le sexe. Vous faites partie de la majorité. La plupart des gens à qui j'ai parlé disent qu'il est difficile de parler de sexualité, et tout particulièrement si vous avez depuis des années vécu une relation où le sujet a été soigneusement évité ou même considéré comme complètement tabou.

Avant de commencer à faire des entrevues sur la sexualité, j'ai constaté que j'éprouvais moi-même de l'angoisse à parler aux gens d'un sujet aussi intime. Ma première entrevue fut avec un homme nommé Michel, qui parlait, d'une voix plaisante et égale, sans la moindre trace d'hésitation ou d'embarras, des expériences les plus intimes qu'il avait eues avec un nombre étonnant de femmes. Pour lui, la sexualité, faire l'amour, c'était aussi naturel que l'air qu'il respirait. À mesure qu'il parlait, je me sentais devenir bien moins tendue, bien que je ne crois pas avoir levé une seule fois les yeux de mon bloc-notes pendant toute l'heure que nous avons passée ensemble.

Ce n'est qu'après un certain nombre d'entrevues que j'ai réalisé que la façon dont Michel parlait de la sexualité était la solution pour vaincre l'angoisse, la mienne et celle des autres. Sa manière détendue, sans histoires et, par-dessus tout, sa façon de ne pas porter de jugement, tout cela devenait contagieux, ce qui veut simplement dire que si vous apprenez à parler franchement et naturellement du sexe, il y a des chances que la personne avec qui vous parlez réagisse de façon tout aussi détendue et ouverte et que vous ayez une discussion plus honnête et plus productive.

Si, peu importe à quel point vous essayez de vous détendre, vous hésitez encore à parler de sexe ou même à amener le sujet sur la table, vous pourriez essayer une méthode dont les behavioristes prétendent qu'elle connaît beaucoup de succès. Pratiquez une conversation imaginaire avec votre partenaire, en vous servant de phrases semblables à celles indiquées ci-dessus ("J'aime quand tu...", "Je suis anxieuse à ce sujet parce que...", etc.). Imaginez-vous que votre mari (ou votre femme) sympathise avec vos affirmations et vos sentiments et réagit chaleureusement à ce que vous lui dites, en révélant à son tour des désirs, des besoins et des joies qui lui sont propres. Continuez d'imaginer et interprétez toute la discussion, en répondant chaque fois de façon positive et éclairante. L'idée thérapeutique qu'il y a derrière cet exercice d'imagination c'est que, si une situation est simulée à l'avance avec un résultat *positif*, les chances que cela tourne ainsi dans la réalité seront grandement augmentées.

Un des pas les plus positifs que l'on puisse faire pour remédier à des difficultés de communication c'est de décider de s'attaquer aux problèmes *ensemble*. Avouez-vous l'un à l'autre que vous pouvez vous sentir mal à l'aise, puis décidez que vous partagez *tous deux* la responsabilité de dire ouvertement ce que vous voulez et désirez l'un de l'autre. Une fois que vous êtes tous deux d'accord pour partager la responsabilité de votre relation sexuelle, vous pouvez fort bien constater qu'elle commence à s'améliorer dans un laps de temps étonnamment court.

En guise de post-scriptum: un nombre important de femmes m'ont dit que la responsabilité partagée, dans le domaine de la communication, n'existait que dans la tête des thérapeutes et des conseillers matrimoniaux. "Une fois de plus, c'est la femme qui doit vraiment faire tout le travail, dit une ménagère de banlieue. Il nous faut marcher sur la pointe des pieds autour de la psyché du mâle et généralement c'est la femme qui est obligée d'amener les problèmes sur le tapis." Dans le meilleur des mondes possibles, chaque partenaire devrait prendre une responsabilité égale dans le maintien des lignes de communications ouvertes, mais dans notre monde, les hommes ont été programmés pour être forts et silencieux et ils trouvent souvent cela d'une difficulté insurmontable d'exprimer ce qu'ils ressentent ou ce dont ils ont besoin. *Quelqu'un* doit prendre l'initiative de communiquer pour qu'une relation puisse se développer, et peut-être qu'à ce stade de notre évolution émotionnelle, ce sont les femmes qui sont mieux équipées pour prendre l'initiative.

XIII
Les négociations amoureuses

Il veut faire l'amour toutes les nuits. Elle veut le faire trois matins par semaine. Y a-t-il une solution?

Le sexe oral: ce qu'il veut, c'est ce qui est pour elle le plus difficile de lui donner. Peuvent-ils tous deux être à l'aise et satisfaits?

Elle veut un mariage monogame. Il l'aime mais ne peut promettre qu'il lui sera fidèle. Que peuvent-ils faire à ce sujet?

Pourquoi l'amour ne peut-il triompher de tout?

Un problème semblable aux problèmes très courants mentionnés ci-dessus est susceptible de surgir en tout temps dans une relation. Que faire alors?

Il y a trois façons fondamentales d'y réagir: l'ignorer et éviter la difficulté, laisser le ressentiment, la peur ou la colère s'accumuler pendant un certain temps jusqu'à ce que le couvercle saute (mais rien n'est réglé par l'explosion), ou affronter carrément le problème, en parler et négocier un arrangement.

Pourquoi est-ce que tant de gens sont rebelles à l'idée de "négocier" un arrangement pour un problème d'intimité ou une situation sexuelle? "C'est parce qu'on nous a appris que l'amour trouvera bien un moyen", dit un avocat de New York spécialisé dans le droit matrimonial, et il ajoute: "Si l'amour pouvait trouver un moyen, il n'y aurait pas de cour des divorces." Ce que peut faire l'amour, quand il s'agit de résoudre un problème ou de guérir une blessure, c'est de donner à chacun la patience, la détermination et le désir de continuer malgré la douleur, les angoisses et le risque que peut impliquer la négociation d'une résolution. En d'autres termes, c'est l'amour qui vous fait vouloir être ensemble et accepter d'effectuer les changements qui vous feront rester ensemble.

Je pense qu'il y a une autre raison pour laquelle les gens sont revêches à l'idée d'une négociation, c'est parce qu'ils ne savent pas vraiment comment négocier. Beaucoup d'"experts" m'ont dit que la négociation est un art. "Vous devez prendre en main les transactions interpersonnelles et posséder un sens de l'opportunité presque psychique", m'a dit un homme d'affaires de Wall Street qui négocie des contrats de plusieurs millions de dollars avec entrain et sans énervement. Mais, en parlant avec des négociateurs habiles — des hommes d'affaires, des avocats spécialisés dans les causes de divorces, des thérapeutes des relations humaines — j'ai découvert que l'"art" de la négociation, plus spécifiquement de questions intimes, n'est pas une pratique ésotérique inaccessible, mais quelque chose que l'on peut apprendre facilement et mettre aisément en pratique avec des résultats immédiats. Dans les domaines particulièrement délicats de l'amour et du sexe, la négociation peut être un moyen direct et non menaçant d'effectuer dans une relation des changements réels, pleins de sens et durables.

Toi-Moi-Nous
Une nouvelle façon de voir votre relation

Les règles de base des négociations amoureuses incluent, d'abord, la visualisation d'un triangle à trois côtés égaux où vous occupez un des sommets, votre partenaire un autre et "la relation" entre vous un troisième. Deux d'entre vous vont négocier en gardant à l'esprit que non seulement chacun d'entre vous mais aussi la troisième entité, votre relation, va gagner à votre accord.

Peut-être que le plus important aspect de la négociation est que tous les trois "gagnent", ou, pour tourner ça de façon inverse, qu'aucun ne perde. "Quand je m'assieds pour négocier, dit un célèbre agent d'Hollywood, je veux que mon client de même que le studio de cinéma ou le producteur pensent qu'ils ont tous obtenu quelque chose. Si l'une des parties pense qu'elle s'est fait avoir, ce n'est pas un bon accord, et je sais, d'après ma longue expérience, qu'une foule de problèmes va inévitablement en surgir. Si vous négociez un contrat où les deux parties se sentent à l'aise, la possibilité de problèmes futurs est presque sûrement réduite à zéro. Je m'assieds avec les parties et je leur dis: "Nous voulons tous quelque chose. Nous sommes ici pour trouver quelque chose qui nous satisfasse tous." Les négociateurs confirmés sont d'accord avec lui en tout point.

La seconde idée dont il faut se souvenir, c'est que votre partenaire et vous êtes *égaux*. Chacun prend un temps égal, une responsabilité égale, une importance égale dans votre relation et chacun de vous respecte l'autre et ce qu'il (ou elle) a à dire.

Puis viennent les prénégociations. En supposant que vous avez tous deux reconnu l'existence d'un problème spécifique (par exemple, chacun de vous a des idées différentes sur la fréquence des rapports sexuels, le sexe oral, les fantaisies sexuelles), commencez par vous poser ces questions:

Qu'est-ce que je veux vraiment?
De quelle sorte de compromis puis-je m'accommoder sans difficultés?
Qu'est-ce qui serait vraiment inacceptable?

Ne vous censurez en aucune façon. Ce que vous voulez *vraiment* peut être totalement irrationnel ou illogique, mais étalez votre jeu devant vous de façon à pouvoir répondre honnêtement à ces questions. Maintenant, en supposant que la négociation doive porter sur un aspect sexuel de votre relation, vous pourriez passer par un processus du genre:

Ce que je veux vraiment, c'est... *chaque fois* que nous faisons l'amour.
Je peux vivre avec... seulement *certaines des fois* que nous faisons l'amour, mais je préférerais que ça ait lieu la majorité des fois.
Je serais extrêmement malheureux(se) s'il n'y avait pas de... dans notre mariage.

Soyez tout à fait franc avec vous-même. À moins que chacun d'entre vous ne se fraie d'abord un chemin dans la totalité de ce processus de pensée, vous ne serez pas capable de négocier convenablement pour vous-même.

L'étape suivante consiste à amorcer la discussion du problème. En gardant en tête ce qui a été dit dans le chapitre précédent, l'un ou l'autre pourrait commencer la conversation en disant:

"Je voudrais te dire que j'éprouve de l'angoisse devant... parce que..."
ou
"Je sais que ça a été dur pour nous de nous montrer ouverts à propos du sexe, mais j'aimerais savoir ce que tu penses de..."
ou
"Je pense qu'il est important pour nous de parler de... parce que je me sens anxieux (malheureux, effrayé, tendu, etc.)..."

De même que vous avez été absolument honnête avec vous-même en déterminant ce que vous vouliez, vous devez maintenant l'être totalement avec votre partenaire en lui disant ce que vous voulez — ou ne voulez pas — ce qui vous donnerait le plus de plaisir, ce qui vous en donne le moins, ce que vous pouvez admettre, ce que vous ne pouvez absolument pas supporter. "Beaucoup de femmes ont tendance à faire des compromis avant même d'avoir dit un mot, nous avertit un thérapeute. Par exemple, elle peut vouloir une monogamie totale *quoi qu'il arrive* mais dire à son mari: d'accord pour une aventure d'une nuit quand tu es en voyage d'affaires." Cette façon de faire des compromis à l'avance est nuisible de deux façons. Son mari ne sait pas ce qu'elle veut vraiment et ignore qu'elle a déjà fait un compromis. Comme il n'a aucun moyen de savoir ce qu'elle lui a déjà "cédé", il y a des chances qu'elle ait à souffrir d'un règlement final qui lui impose un compromis encore plus grand.

Chacun de vous devrait dire — pas demander — ce qu'il veut, peu importe si ce n'est pas raisonnable, et savoir que l'autre ne va pas le ridiculiser ou partir. "Les désirs sont ce qu'ils sont, dit un psychologue, c'est fort peu sage et même dangereux de les nier ou de les ignorer." Vous pouvez fort bien désirer en secret faire l'amour au son d'une musique indienne, assis dans une chaise berçante, aux douze coups de minuit et être trop gêné pour l'avouer. Mais, si vous dites à votre mari (ou votre femme) que c'est quelque chose d'important pour vous, vous pouvez fort bien découvrir que votre partenaire va vous contenter plus souvent que vous n'auriez pu oser l'espérer, en particulier si, en échange, vous lui offrez quelque chose qu'il (ou elle) désire depuis longtemps.

Les négociations commencent quand vous avez tous deux exprimé honnêtement vos besoins et que vous amorcez une discussion sous forme de dialogue ininterrompu pour en arriver à un arrangement. Écoutez — écoutez vraiment — ce que chacun de vous a à dire. Ne pensez pas pendant que l'autre parle à ce que *vous* allez dire après. Essayez de sympathiser et de comprendre ce que veut votre mari (ou votre femme) et pourquoi il (ou elle) le veut. Écoutez attentivement mais *restez de votre bord* — n'adoptez pas automatiquement son point de vue pour lui plaire ou le (la) flatter. Trop souvent, un des partenaires (là encore, généralement la femme) va dire: "Tu as raison, c'est idiot de ma part" ou "Je ne sais vraiment pas ce que je veux", quand il a peur de dire la vérité, de crainte de se voir rejeté. Les hommes et les femmes ont des attentes et des besoins différents en ce qui a trait à l'acte sexuel, alors souvenez-vous-en et ne sacrifiez pas votre point de vue.

Traitez un seul problème à la fois. Si vous êtes en train de parler de sexe oral ou du besoin d'une certaine fantaisie sexuelle, n'amenez pas les enfants, vos parents, la liberté sexuelle des voisins ou quoi que ce soit d'autre sur le tapis. Tenez-vous-en aux points spécifiques que vous affrontez afin d'y apporter des changements, ne vous lancez pas à la tête des affirmations ou des accusations du genre: "Oui, mais qui ramène la plus grosse paie à la maison?" — c'est un autre sujet, qu'il faudrait traiter à un autre moment.

Examinons un peu les trois types de problèmes décrits en tête de ce chapitre.

Jim veut faire l'amour toutes les nuits. Sarah veut le faire trois matins par semaine. Sous une forme ou sous une autre, il s'agit là d'un des problèmes les plus courants à l'intérieur du mariage. Des pulsions sexuelles qui diffèrent, qu'elles viennent de différences innées ou culturelles ou de différences entre homme et femme, peuvent causer des problèmes majeurs. Comment les résoudre? Tout d'abord, il faut que chacun d'entre vous parle de ses besoins spécifiques, en définissant bien ce qu'il entend par "sexe" et par "faire l'amour". Puis expliquez en détail pourquoi vous vous sentez comme ça. "Je suis trop fatigué(e) le soir...", "J'ai peur que les enfants nous entendent...", "Je ne suis pas vraiment satisfait car il me faut plus de sexe, plus de contact physique". Quand chacun entend vraiment les besoins de l'autre et veut que la relation continue, alors des changements significatifs peuvent être apportés. Une discussion franche sur comment, où et quand un couple peut faire l'amour, compte tenu de leurs besoins physiques différents et de ce qu'exigent de chacun les enfants et la carrière, conduit à la négociation et à un compromis acceptable. Jim et Sarah ont résolu le problème en se mettant d'accord sur du sexe "rapide", deux ou trois nuits par semaine et l'amour à loisir le samedi ou le dimanche matin, quand les enfants sont passionnés par leurs émissions de télé. Pour un autre couple, la solution pourrait être une autre forme d'arrangement pour faire l'amour ou prévoir une fin de semaine romantique hors de la maison une fois par mois avec plus de sexe "rapide" pendant la semaine.

Le sexe oral — ce qu'il faut à Jonathan, c'est ce qu'il est le plus difficile à Anne de donner. Une autre zone délicate où sévit énormément d'incompréhension, c'est le sexe oral. Le premier pas à faire consiste à reconnaître l'existence de la difficulté: par exemple, Jonathan a dit à Anne qu'il a "vraiment besoin" de sexe oral et qu'il n'en reçoit pas assez. Si, à la différence de Jonathan, vous n'êtes pas capable d'exprimer aussi directement vos besoins, vous pourriez commencer par dire: "Il y a quelque chose dont il faut que je discute avec toi, et cela peut être difficile pour nous deux..." Évidemment, la situation pourrait être inversée facilement: ce pourrait être Anne qui a besoin de plus de sexe oral ou de stimulation manuelle. Une discussion des raisons pour lesquelles le sexe oral est si difficile pour Anne (son éducation religieuse stricte, un sentiment de culpabilité, du ressentiment, sa peur de l'éjaculation, etc.) et de celles pour lesquelles c'est très important pour Jonathan (cela représente pour lui l'acte le plus intime qui soit, symbolisant le don et l'affection) apportera à chacun d'eux des informations extrêmement valables. Anne promet de chercher des livres contenant de l'information sur les techniques sexuelles et accepte d'"essayer quelques fois". Si le problème demeure, elle et Jonathan sont d'accord pour aller consulter tous deux un thérapeute. Une solution négociée consistera, pour un autre couple ayant un problème similaire, à ce qu'elle ne prenne pas le sperme dans sa bouche, tout simplement.

Lyne veut un mariage monogame. Paul l'aime mais ne peut promettre qu'il lui sera fidèle. Quand Paul dit qu'il n'est pas capable de promettre la fidélité et que Lyne a exprimé son besoin d'une monogamie totale, ils ont déjà accompli le premier pas de la négociation et ont ouvertement affronté ce que chacun d'eux veut et ressent. Paul est un homme aux pulsions sexuelles très fortes et, chaque année, il effectue deux longs voyages d'affaires pour sa compagnie. Il ne veut pas "tromper" Lyne, mais affirme que la masturbation ne satisfait pas ses besoins sexuels. La solution qu'ils ont négociée: Lyne l'accompagnera dans un de ses voyages annuels, et, lors de l'autre voyage, il reviendra passer une fin de semaine à la maison. Si elle choisissait de ne pas voyager avec lui, il serait "libre" de chercher l'apaisement sexuel mais seulement lors d'une aventure impersonnelle d'une nuit.

L'arrangement ou le contrat qui lie Paul et Lyne a été réalisé après de nombreux mois de négociations. "Au début, nous avions peur de parler de ça. Je pensais qu'il n'était pas raisonnable du tout et il trouvait que j'étais follement irréaliste, mais nous y revenions sans cesse pour trouver des possibilités qui nous satisfassent tous deux. Ce sur quoi nous nous sommes finalement mis d'accord, ce fut quelque chose de viable pour tous deux qui permette à notre relation de durer. Cette solution peut paraître trop clinique, mais le fait de connaître exactement nos limites m'a soulagée énormément."

Certaines négociations seront relativement simples et d'autres complexes, prenant des jours, des semaines ou même des mois à aboutir, alors que de nouvelles solutions et de nouvelles idées sont apportées et pesées par chaque partie.

Si vous en arrivez à une impasse complète, mettez-vous d'accord pour voir un thérapeute ou un conseiller qui peut s'avérer capable de vous offrir de nouvelles perspectives et de nouvelles suggestions. Souvenez-vous, également, que ce que vous avez décidé n'est pas gravé dans le marbre. Vous pouvez découvrir, après un certain temps, que l'"accord" négocié ne vous satisfait pas et vouloir le changer. Alors, le processus recommence: "Je pense que j'aimerais apporter quelques changements à..." ou "J'aimerais revoir notre entente...". Savoir affronter les changements et la croissance et assumer la liberté de demander ce que vous voulez, voilà qui fait s'enrichir, s'approfondir et durer une relation.

XIV

La fantaisie: où commence l'excès?

Des fouets, des chaînes, des masques de cuir noir et autres instruments inquiétants, voilà qui vient souvent à l'esprit quand on parle de "fantaisies sexuelles". Bien des gens qualifient automatiquement les fantaisies sexuelles de "perverses" ou "mauvaises", et pourtant explorer et réaliser ses fantaisies peut s'avérer utile autant qu'excitant à l'intérieur d'une relation. "Partager des univers inconnus, imaginatifs, peut ajouter une dimension merveilleuse et ouvrir de nouvelles perspectives à la vie intime de deux individus", affirme un conseiller matrimonial respecté de New York qui suggère souvent aux couples de commencer, en guise de thérapie, par explorer le monde fascinant de la fantaisie sexuelle.

Que se passe-t-il quand vous explorez votre imagination — et celle de votre partenaire? "Vous pouvez découvrir un moi secret, caché, et cela rend deux personnes qui sont proches encore plus proches l'une de l'autre", dit Jeanne, une responsable du secteur "mode" d'une chaîne de grands magasins du Middle West. Quand, après plusieurs années de mariage, ils ont commencé à échanger verbalement leurs fantaisies, Jeanne et son mari Matthieu ont découvert qu'elle avait un "côté sauvage, dominant, agressif". "Cela m'excite vraiment quand elle me dit quelles choses incroyables elle va me faire", dit son mari.

Le risque que représente le dévoilement de notre moi le plus intime peut aussi intensifier et approfondir l'intimité, et les thérapeutes font remarquer que la verbalisation de vos fantaisies ou le partage de votre univers particulier fournit également une échappatoire aux rôles rigides, inhibiteurs et "figés" dans lesquels nous sommes souvent enfermés. Ce qui est le plus important: la fantaisie peut aider beaucoup d'hommes et de femmes à communiquer leurs vrais besoins, leurs vrais désirs et ce qu'ils souhaitent vraiment, de façon non menaçante.

La fantaisie peut, et devrait, être agréable. Les couples qui prennent plaisir à réaliser ou à exprimer leurs fantaisies font très souvent état d'un sens particulier du jeu et du plaisir qui colore leur relation. Un couple m'a dit qu'ils jouaient souvent au "docteur". "Je suis le docteur et je l'examine, explique le mari, puis nous changeons de rôle et c'est elle le docteur. Il s'agit en réalité pour nous d'éprouver l'excitation du "défendu" que nous avons connue quand nous étions enfants — mais c'est diablement plus agréable maintenant", dit-il avec un sérieux absolu. On retrouve une autre dimension valable de cet aspect ludique de la fantaisie dans l'histoire de l'homme qui avait suggéré à sa femme timide de donner un nom à son pénis. "Fais-lui la conversation, lui recommandait-il gentiment, apprends à le connaître!" Le sens du jeu et la bonne humeur qu'il y avait dans l'idée de son mari ont permis à Paula de se sentir moins gênée avec le corps de son mari — et avec le sien — et lui ont finalement permis de communiquer plus facilement ses propres besoins sexuels.

La base de la fantaisie est l'imagination et, pour bien des couples, la liberté de se servir librement de leur imagination peut être un des aspects les plus excitants et les plus libérateurs de l'amour physique. L'imagination peut allumer ou rallumer le romantisme. Se servir de son imagination ce peut être quelque chose d'aussi simple que d'allumer deux chandelles près de votre lit, faire l'amour sous la douche ou changer d'eau de Cologne. Si vous êtes intéressé à explorer votre imagination, vous pouvez aussi simplement vous laisser aller à des rêves éveillés légèrement érotiques et les partager l'un avec l'autre ou aller jusqu'au bout et jouer les scénarios les plus complexes et les plus détaillés, avec script et accessoires.

La fantaisie est basée sur l'imagination, mais parler de vos envies et de vos désirs secrets ou les jouer exige la confiance et la pleine collaboration de votre partenaire. Si vous voulez développer vos fantaisies ou les réaliser — et non les garder dans votre tête — vous devez vous montrer absolument ouverts l'un envers l'autre. Chacun de vous doit accepter d'entrer dans la fantaisie de l'autre. Si vous vous contentez d'essayer de faire plaisir à votre partenaire, chacun de vous prendra fort peu de plaisir à ces jeux.

Si vous êtes intéressé mais un peu timide à ce sujet, voici quelques suggestions fondamentales que m'ont fournies en guise de points de départ faciles un certain nombre de couples.

Racontez vos fantaisies à votre partenaire ou écrivez-les en détail. Se les lire l'un à l'autre à haute voix peut être un extraordinaire excitant et aider énormément à communiquer des désirs et des besoins que vous pourriez avoir de la difficulté à exprimer de façon plus directe.

Essayez de jouer un rôle. Définissez un personnage que vous aimeriez être puis imaginez que vous êtes cette personne en train de faire l'amour à votre partenaire (qui lui aussi aura l'occasion, à un autre moment, de jouer son personnage). Donnez-vous un autre nom et une nouvelle personnalité. Vous pourriez même vous habiller comme le personnage dont vous jouez le rôle et élaborer des scripts et des scénarios que vous voulez jouer.

Imaginez que vous avez une "liaison" avec votre propre femme ou mari. Certains couples avec qui j'ai parlé se donnaient vraiment des rendez-vous clandestins dans des hôtels ou des motels et se livraient à un amour fou et passionné sur le temps pris au bureau ou aux travaux domestiques.

Imaginez que votre partenaire est un parfait étranger. Bâtissez-lui une nouvelle identité complète, avec un nouveau nom et une nouvelle personnalité. Puis faites l'amour avec cet excitant étranger et voyez ce qui en résulte...

Créez un cadre imaginaire dans lequel vous aimeriez faire l'amour: une plage au clair de lune, une clairière parfumée et pleine de fleurs, un wagon-lit dans l'Orient-Express qui fonce dans la nuit noire vers Istanbul. Décrivez la scène à votre partenaire et faites l'amour comme vous le feriez si vous y étiez vraiment.

Où commence l'excès dans la fantaisie?

Voici une histoire inhabituelle qui m'a été racontée par une pétillante jeune femme nommée Maria, que j'ai rencontrée à une conférence, il y a peu de temps. Elle m'avait demandé si j'allais inclure quelque chose sur "la fantaisie sexuelle" dans mon prochain livre et, sur ma réponse affirmative, elle me raconta l'expérience suivante.

"Une de mes amies et moi devions aller au théâtre. Elle avait été invitée à un cocktail et, comme nous avions du temps avant le lever du rideau, elle proposa que nous y allions toutes les deux. C'était le genre de party new-yorkais qui réunit des tas de gens de genre très différent, des gens qui ne se reverront probablement plus jamais... Un bel homme qui ressemblait à un banquier avec ses lunettes à monture en corne et son complet de flanelle grise se présenta à moi et proposa d'aller me chercher un verre. En fait, c'était vraiment un banquier; il avait un sens de l'humour extraordinaire et énormément de charme et je me retrouvai très impatiente d'aller au rendez-vous à dîner que nous nous étions fixé pour la semaine suivante.

"Plusieurs mois plus tard, notre relation s'était développée à un point tel que je pensais qu'il se pouvait fort bien que je sois en amour avec Édouard et que lui éprouvait la même chose pour moi. Nous avons commencé à penser au mariage et nous avons décidé de vivre ensemble quelque temps avant de rendre les choses légales. Une nuit, peu de temps après que nous nous soyons installés dans mon appartement, il ramena à la maison la plus jolie des nuisettes de soie avec une petite culotte de satin lavande pleine d'une délicate dentelle écrue. Je les ai mises pour faire l'amour et il en fut particulièrement ravi. Nous avons ri de la forte excitation qu'avait produite sur nous deux ces sous-vêtements et, pour m'amuser, je lui ai fait mettre la culotte devant moi. L'effet a été fantastique — nous avons fait l'amour encore et encore, pendant toute la nuit.

"Les sous-vêtements ont commencé à jouer un rôle de plus en plus important dans notre vie sexuelle. Finalement Édouard m'a dit qu'il rêvait de porter des sous-vêtements féminins et qu'il avait eu peur de me l'avouer, mais que maintenant il avait confiance en moi et sentait que je le comprendrais. J'étais encore à ce moment très intriguée par le fait que ce banquier d'allure très conservatrice ait des goûts sexuels si excentriques et, comme les sous-vêtements semblaient nous exciter autant tous les deux, je ne pensais pas qu'il pouvait y avoir quoi que ce soit de mal à ça. Je lui ai même acheté des culottes de dentelle noire.

"Après un certain temps, je me suis lassée de jouer avec la lingerie et j'ai suggéré que nous essayions de faire l'amour sans accessoires, mais Édouard ne pouvait avoir d'érection à moins de porter une lingerie quelconque. Nous avons essayé d'en parler mais tout ce qu'il pouvait dire c'est qu'il pensait qu'il avait fini par trouver quelqu'un qui pouvait le comprendre. Et pourquoi est-ce que cela me rendait malheureuse alors que moi aussi les sous-vêtements m'excitaient? Oui, j'avais aimé faire l'amour avec lui, expliquai-je, et je n'avais rien contre les sous-vêtements ou la fantaisie ou presque tout ce qu'il pouvait apprécier d'autre mais cela m'ennuyait qu'il insiste tant sur les sous-vêtements. Notre façon de faire l'amour était devenue unidimensionnelle et cela m'effrayait même un peu. Je pensai finalement qu'il était temps d'en discuter avec quelqu'un et j'encourageai Édouard à aller voir le docteur que je consultais moi-même. Malheureusement, il refusa et j'en arrivai finalement à le quitter, lui et ses fantaisies..."

"Cette histoire n'est pas aussi inhabituelle que vous pourriez le penser et elle met en évidence plusieurs aspects intéressants de la réalisation d'une fantaisie. Elle aide aussi à expliquer ce qui peut être "aller trop loin" ou "en faire trop", observa un thérapeute avec qui j'avais discuté de l'expérience d'Édouard et de Maria. Bien qu'au début cela lui ait paru sortir tout à fait de l'ordinaire, Maria a accepté d'entrer dans l'univers des fantaisies d'Édouard. Et même elle l'a incontestablement encouragé en lui offrant des accessoires. Mais il ne sembla pas y avoir d'échange de fantaisies; quelles étaient, si elles existaient, les fantaisies de Maria, quels étaient ses besoins sexuels? La fantaisie d'Édouard et de Maria, aussi bizarre qu'elle puisse paraître à bien des gens, était au départ excitante pour tous les deux mais elle devint négative et déplaisante lorsque Édouard commença à insister pour qu'ils la jouent toutes les fois qu'ils faisaient l'amour. Maria reconnaissait que ses propres besoins sexuels couvraient un large spectre incluant la réalisation de fantaisies sexuelles mais ne s'y limitant pas. Elle percevait l'obstination mise par Édouard à vouloir porter de la lingerie comme "malsaine" et chercha conseil auprès d'un professionnel qualifié.

Alors, où commence l'excès dans la fantaisie? Les thérapeutes et les chercheurs s'accordent sensiblement pour dire que tout ce que font ensemble deux personnes et qui s'avère *mutuellement agréable* est acceptable, mais la plupart recommandent qu'un couple ait une longue tradition de bonne communication et une complète confiance l'un dans l'autre s'ils veulent réaliser des fantaisies.

Un mot, en passant, pour ceux qui n'ont pas de fantaisie particulière. Si, par manque d'intérêt ou pour toute autre raison, la fantaisie n'est pas votre fort, ne vous sentez pas obligé d'en fabriquer une ou de vous impliquer dans celle d'un autre. Comme dans tout autre aspect de l'amour, c'est à vous de décider.

Si les fantaisies sexuelles ne sont pas pour vous, vous pourriez être intéressé à ce qu'un bon ami à moi appelle les "fantaisies amoureuses". Les fantaisies amoureuses exigent du travail, de la préparation et parfois des accessoires et de l'argent, mais je puis vous assurer d'après mon expérience personnelle qu'elles valent bien le trouble que l'on se donne! Peut-être l'exemple suivant aidera-t-il à comprendre ce que je veux dire.

Tout de suite après notre mariage, je demandai à mon mari quelles étaient ses véritables fantaisies.

"Je n'en ai qu'une, répondit-il sans un instant d'hésitation, être kidnappé et emporté sur un rafiot branlant jusqu'à une île déserte... par toi."

Cette année-là, la Saint-Valentin tomba un jeudi, et je demandai à Normand de rentrer à la maison vers six heures parce que nous aurions un "dîner spécial". Quand il arriva, la maison était illuminée de petites chandelles tremblotantes et Édith Piaf chantait *la Vie en rose*.

"Qu'est-ce qui se passe?", demanda-t-il.

"Une surprise", répondis-je en le menant au salon où nous avons commencé par déguster du champagne bien frais. Nous parlions depuis quelques minutes lorsqu'on sonna à la porte.

"Va donc répondre", suggérai-je doucement.

Tandis qu'il allait ouvrir, je ramassai toutes mes affaires et m'enfuis par en arrière.

Normand trouva à la porte deux hommes masqués.

“Mets ton manteau”, ordonna l’un d’eux d’une voix bourrue. “Et prends une écharpe, il fait froid”, commanda l’autre. Sans la moindre crainte, Normand répondit: “Oh! Edward, c’est toi...” “Tu ne me connais pas”, dit Edward d’un ton rude et il ajouta: “Pas un mot, c’est ma fantaisie à moi aussi.”

Normand s’habilla chaudement et on le mena vers une voiture stationnée devant la maison. On le conduisit à travers des rues sombres et désertes jusqu’à la pointe sud de Manhattan où un bateau devait l’emmener jusqu’à son île de rêve.

Je l’accueillis à la porte du ferry-boat de Staten Island, avec un panier à pique-nique et deux tickets. Les kidnappeurs le remirent à ma garde et nous dînâmes de brie, de pain croûté, de jambon de Westphalie et de vin rouge tandis que le bateau s’éloignait des docks et que nous contemplions le magnifique panorama des gratte-ciel du centre-ville qui disparaissaient peu à peu dans le lointain.

Quand nous sommes revenus à Manhattan, il était près de onze heures et la voiture nous attendait pour réaliser une fantaisie de plus. Nous sommes remontés vers le haut de la ville, à travers Central Park puis, plus lentement, en direction de la 59e rue.

“Où allons-nous?” demanda Normand, toujours curieux.

“Tu verras”, répondis-je mystérieusement tandis que nous nous arrêtions au bord de la porte latérale de Bloomingdale où un gardien nous ouvrit la porte. Il appuya sur un bouton et soudain la lumière envahit l’endroit de New York que Normand préfère: le salon de crème glacée Swensen où l’on nous laissa libres de nous gorger de tous les délices glacés possibles et imaginables.

“Comment diable as-tu pu rendre cela possible?”, demanda Normand, entre deux bouchées de chocolat suisse à l’orange, avec des amandes, de la noix de coco et des bananes.

“Il ne faut jamais s’interroger sur une fantaisie”, répondis-je en goûtant les brisures au beurre et à la pistache.

Ce kidnapping s’est produit il y a plusieurs années, et je ne révélerai pas comment Normand m’a vraiment prise au piège de *ma* fantaisie, l’année dernière, mais je peux vous garantir que ça vaut le coup de réaliser les rêves de quelqu’un.

XV

Les aventures à l'extérieur de la relation

Autrefois, on parlait d'"adultère". Puis c'est devenu l'"infidélité". Maintenant, on appelle ça le sexe "extra-conjugal", et les statistiques prouvent que l'on atteint sur ce point à des sommets records. La question n'est pas ici de savoir si c'est bien ou mal mais pourquoi un homme ou une femme veut se livrer à des expériences sexuelles "en dehors" de la relation, de quelque sorte qu'elles soient: sexe en groupe, ménage à trois, ou la classique relation à deux, et s'il (ou elle) le *fait*, ce que vous pouvez y faire.

Tout d'abord, il est révélateur de considérer une autre différence fondamentale d'attitude entre les hommes et les femmes. Les hommes que j'ai interrogés ont souvent établi une distinction entre l'"aventure d'une nuit" et "une liaison". "Une aventure d'une nuit n'est qu'une affaire de sexe, comme la définit un homme d'Indianapolis, je peux même fort bien ne pas savoir son nom. Une liaison c'est une relation qui dure. Une liaison vous apporte quelque chose, quelque chose qui vous manque probablement à la maison." Les femmes aussi font cette distinction entre le sexe pour le sexe et le sexe avec affection, mais pour elles une rencontre extra-conjugale strictement pour le sexe semble souvent conduire à quelque chose de plus profond. "Ce qui avait commencé comme une virée purement physique pour moi s'est rapidement transformé en profond attachement parce que j'utilisais le sexe comme substitut d'autres choses qui manquaient à mon mariage", dit une femme qui analysait soigneusement les raisons de la rupture de son mariage qui durait depuis dix-sept ans.

La différence d'attitude ou de conception qui sous-tend la façon d'envisager le sexe extra-conjugal nous est familière. Beaucoup d'hommes m'ont dit qu'ils pouvaient apprécier le sexe purement physique, avec peu ou pas du tout d'implication émotionnelle alors que la plupart des femmes, tout en pouvant imaginer le sexe sans attachement émotionnel, trouvent difficile de l'accepter dans la réalité. "Je ne peux pas supporter de penser que mon mari embrasse une autre femme, même si c'est une prostituée", avoue une ménagère de banlieue. Pour elle, le baiser signifie une certaine forme d'attachement ou d'engagement émotionnel, mais beaucoup d'hommes ne seraient pas d'accord. "Du bon sexe, sans attaches, c'est simplement du bon sexe. C'est comme un massage", dit un avocat qui est souvent absent de la maison pour affaires. "C'est bon pour votre corps et cela n'interfère pas avec votre mariage."

Alors, qu'est-ce que l'infidélité? La définition varie souvent d'une personne à l'autre et d'un couple à l'autre, mais les hommes considèrent généralement que l'infidélité signifie "une liaison", c'est-à-dire une relation qui soit plus que "simplement du sexe", alors que les femmes considèrent généralement comme de l'infidélité toute sorte de contact sexuel extra-conjugal, peu importe qu'il soit ou non très fugitif. C'est pourquoi il serait sage de définir clairement pour votre partenaire votre conception personnelle de la "fidélité". Une fois que vous connaissez tous deux l'attitude et les idées de l'autre à ce sujet, vous serez tous deux bien mieux armés pour éviter tout problème qui pourrait survenir dans ce domaine particulièrement sensible. Vous pouvez surmonter les angoisses et les difficultés en examinant honnêtement ce que chacun de vous pense de la fidélité et en vous mettant d'accord sur ce que vous attendez tous deux de votre relation.

Les experts comme les couples interrogés sont généralement tombés d'accord sur le fait que les hommes et les femmes qui jouissent d'une intimité sexuelle et émotionnelle éprouvent peu le besoin de sexe extra-conjugal — à moins de circonstances particulières comme des voyages prolongés ou la maladie d'un partenaire. Disons-le clairement: quand vous êtes en amour avec quelqu'un, être fidèle n'est pas un problème. Si cela devient un effort, le sens commun devrait vous dire qu'"il y a problème", et la meilleure réaction est d'abord de vous demander pourquoi vous n'êtes plus satisfait à la maison.

"Personne n'est à l'abri de pensées impures", dit un acteur hollywoodien de trente-cinq ans, particulièrement séduisant, marié depuis huit ans. La vraie question est de savoir si vous allez les réaliser. Demandez-vous: *Quel est le risque? Quelles en seront les conséquences?* Quant à moi, je sais que je ne suis pas prêt à gâcher mon mariage pour, passez-moi l'expression, une paire de fesses, quelque tentantes qu'elles soient." "Vous n'êtes pas responsable de vos sentiments, dit un thérapeute behavioriste, mais vous êtes responsable de vos actions." "Regarde mais ne touche pas", comme le dit, pour clore le débat sur la fidélité, une autre femme qui tient à son mariage.

Si cela arrive...

"Que faire quand on trouve un mot d'une autre femme dans la poche de veston de son mari?" Telle fut une des questions posées à une psychologue, lors d'une émission radiophonique récente à laquelle elle et moi participions en tant qu'invitées. "J'ai découvert que ma femme avait des aventures quand j'ai attrapé l'herpès. Que dois-je faire?", fut une autre question difficile. Les solutions à ces problèmes extrêmement douloureux doivent être élaborées par les individus concernés, mais les experts offrent souvent des suggestions qui peuvent s'avérer utiles.

D'abord, examinez soigneusement vos propres sentiments et votre relation. L'homme qui a laissé traîner le billet doux dans sa poche est peut-être inconsciemment en train d'essayer de dire à sa femme: "J'ai des relations avec une autre femme et je te le laisse savoir afin que nous puissions faire quelque chose à ce sujet." Ou il peut vouloir dire: "J'ai laissé ce mot dans ma poche parce que je suis furieux contre toi et j'essaie de me venger en ayant une liaison."

Chaque individu a ses raisons profondes de "courailler", mais les thérapeutes signalent que certains thèmes récurrents se retrouvent dans la bouche des hommes et des femmes qui recherchent du sexe extra-conjugal. Les plus courants sont: le besoin d'intimité, la solitude, l'ennui, le besoin de nouveauté, des attentes irréalistes, l'assurance qu'on est encore désirable, le besoin d'être avec quelqu'un qui ne connaît pas vos défauts ou faiblesses. Certains observateurs du comportement humain pensent que les hommes sont particulièrement portés sur le sexe extra-conjugal. "Les hommes éprouvent souvent des sentiments contradictoires face à la monogamie, dit un étudiant diplômé de Los Angeles. Il y a un besoin d'une maison et d'un foyer, mais il y a aussi ce conditionnement précoce à "conquérir" aussi souvent que possible. Cela peut continuer à être une pulsion puissante même dans un mariage très satisfaisant."

Il est essentiel que vous ne vous mentiez pas à vous-même quand vous considérez une situation qui implique du sexe extra-conjugal. Demandez-vous pourquoi vous avez besoin d'aller en dehors du mariage, ce qui manque dans votre relation, pourquoi vous ne pouvez pas discuter de la situation avec votre partenaire. Il s'agit là de questions importantes, qui vont loin et qui mettent en cause le contenu entier de votre vie avec votre mari (ou votre femme). N'hésitez pas à faire appel aux conseils d'un professionnel pour vous aider à y répondre.

Si c'est votre partenaire qui s'adonne ou s'est adonné au sexe extra-conjugal, concentrez-vous sur les mêmes questions: Pourquoi est-il allé à l'extérieur du mariage? De quoi peut-il avoir besoin que vous ne lui ayez pas donné?

Ne vous torturez pas avec des questions sur ce qu'a l'air l'autre personne ou sur la façon dont tous deux se comportent au lit. Concentrez-vous plutôt sur *les raisons* pour lesquelles vous n'avez pu satisfaire les besoins de votre partenaire et celles pour lesquelles il n'a pas pu vous parler honnêtement.

C'est, finalement, à vous qu'il appartient de choisir d'ignorer la situation ou bien d'y faire face et de réévaluer votre mariage, en cherchant peut-être de l'aide pour le rendre plus fort et revitaliser un engagement qui s'est effrité. Manifestement, le meilleur temps pour communiquer au sujet d'un problème c'est *avant* que quelque chose arrive. Certaines personnes qui tiennent à leur mariage mais qui reconnaissent à certains signes qu'il est en train de se détériorer disent à leurs partenaires qu'ils songent au sexe extra-conjugal. Une telle franchise peut souvent conduire à un réexamen de vos besoins et désirs mutuels et créer des liens plus forts et plus profonds.

Une femme que je connais soupçonnait son mari d'avoir une liaison, et après beaucoup de recherches personnelles, elle le mit en face, non pas de furieuses accusations mais de l'amour qu'elle éprouvait pour lui et du besoin intense qu'elle avait de lui. Il lui dit qu'il avait bien, effectivement, songé à avoir une liaison avec une autre femme parce qu'il ne s'était pas senti vraiment aimé et désiré et qu'il n'avait pas idée de la profondeur et de l'intensité de l'attachement qu'elle avait pour lui, parce qu'elle ne s'était jamais exprimée aussi directement auparavant. Cette révélation douloureuse et la discussion honnête et ouverte qu'elle déclencha fut le début d'une véritable intimité dans leur mariage.

Si votre mari (ou votre femme) découvre que vous avez une liaison ou si vous dites à votre partenaire ce qui s'est passé, ne vous attendez pas à une compréhension et à un pardon instantanés. Prenez conscience des nombreuses phases douloureuses qu'il y aura à traverser.

"Le jour où il m'a tout avoué, j'ai éprouvé une peine incroyable. Je me souviens très nettement que je devais participer à une très importante réunion au bureau et que mes mains tremblaient tant que je ne pouvais pas mettre mon rouge à lèvres. Je ne voulais qu'une chose: sortir de la maison", m'a dit une femme dont le mari avait donné pour raison de ses escapades le fait qu'il ne recevait pas à la maison le genre de sexualité dont il avait besoin. "Après, j'ai éprouvé de la rage. Je voulais le frapper, lui faire mal physiquement. Au lieu de cela, je me suis retirée, je n'ai pas dit un mot pendant des jours, puis je suis passée par toute la gamme des sentiments possibles jusqu'à ce qu'ils perdent de leur intensité et j'ai commencé à vouloir être avec lui. Il nous a fallu, pendant deux semaines, discuter, discuter et discuter encore avant de faire l'amour et que je commence à songer à lui faire à nouveau confiance."

Ce processus qui va de la douleur à la colère puis au retrait ne devrait être ni supprimé ni accéléré. Il est nécessaire de passer par tout le processus car, à moins qu'on ne les affronte, ces sentiments profonds et destructeurs peuvent facilement empêcher la reconstruction d'une relation saine et aimante.

L'individu qui découvre que son partenaire lui a été infidèle souffre d'une terrible perte de dignité et de respect de soi. Reconnaissez que reconstruire la confiance et l'intimité exige du temps, de l'amour et beaucoup de délicatesse. Sans trop insister, faites savoir à votre partenaire où vous serez et quand vous rentrerez à la maison; de sorte qu'il (ou elle) n'ait pas à le demander. Si vous allez être en retard, téléphonez pour lui dire où vous êtes et à quelle heure vous allez revenir. Si vous pouvez inclure votre partenaire dans vos plans, c'est encore mieux. Demandez-lui ce que vous pourriez faire pour l'aider à vous faire à nouveau confiance et faites-le sans cesse.

Il y aura encore des moments de peine et de colère, des deux côtés, mais si vous voulez que votre relation change et s'améliore, il vous faudra exprimer beaucoup d'amour et avoir la volonté de vous consoler l'un l'autre.

XVI

Les interférences Comment faire avec la belle-famille, les enfants, l'argent, les carrières...

"*C'est formidable de parler de toute cette passion, de tout ce romantisme, de cette séduction*, déclarait une jeune femme qui faisait partie du public en studio lors d'une émission de télévision, *mais quand votre belle-mère est dans la pièce d'à côté, ça ne marchera pas...*" Et ça ne marchera pas non plus si vos enfants embarquent dans le lit avec vous, si votre compte en banque est à découvert, si vous venez d'avoir votre cinquième empoignade avec votre patron ou si les prévisions des ventes pour aujourd'hui se sont révélées fausses. Les enfants, la belle-famille, l'argent et les carrières constituent des interférences majeures quand il s'agit de maintenir une relation intense et pleine de sens.

Les enfants

Une relation solide, c'est un équilibre délicat entre deux égaux qui sont profondément engagés l'un envers l'autre de toutes les façons possibles. Le facteur de déséquilibre le plus menaçant pour toute relation, c'est peut-être la naissance d'un enfant. Certaines études récentes soulignent le fait que les couples sans enfants sont plus heureux que ceux qui ont une famille. Ceci m'a été sans cesse confirmé par les hommes et les femmes que j'ai interrogés et qui pensaient que leurs mariages étaient exceptionnellement solides dans une large mesure parce qu'ils n'avaient pas d'enfants. Mais, manifestement, les gens ne vont pas s'arrêter d'avoir des enfants; la question est donc: comment s'adapter à la venue d'un enfant tout en maintenant une relation intime et vivante.

La plupart des experts et des couples sont d'accord pour dire que c'est quand l'enfant a entre un an et cinq ans que c'est le plus difficile pour les parents. Les exigences physiques des enfants sont alors à leur sommet, et, au même moment, les mères et les pères doivent faire des ajustements majeurs sur les plans émotionnels et financiers. "Une des clés pour s'accommoder des enfants consiste à ne jamais oublier qu'ils sont des *additions* à votre mariage", fait remarquer une femme qui travaille à la maison et élève également deux petites filles. "Il faut que vous vous souveniez que votre mari et vous formez l'unité de base et que les enfants agrandissent ce noyau, ils ne le divisent pas." Une célèbre directrice artistique de New York qui a un fils de quinze mois dit: "Je garde toujours à l'esprit ce que ma mère me répétait: "Ton père passe d'abord." Parfois j'étais jalouse, mais je devais la respecter."

Si vous voulez que votre mariage survive, vous devez prendre le temps de vous retrouver seuls ensemble sur une base régulière. Il existe un certain nombre de façons valables d'y parvenir. "Mes voisins gardent mes enfants un dimanche après-midi et nous gardons les leurs le dimanche suivant", dit une femme de Minneapolis, chef de bureau et également mère. "Très tôt, j'ai établi une merveilleuse habitude, explique une autre femme. J'envoie les enfants à ma belle-mère tous les vendredis soir. Elle adore les garder, et Jacques et moi trouvons qu'ainsi nous nous faisons à tous une faveur." "Une nuit passée au Holiday Inn de notre localité au moins une ou deux fois par mois, c'est ça qui nous permet de rester unis", prétend un mari qui a pris l'initiative de cette pratique sur les conseils de son curé.

"Un verrou sur la porte est un moyen inestimable de garder en vie la passion, signale un psychologue de San Francisco. Placez sur votre porte un mot qui dit: "période d'intimité", hissez même un drapeau rouge s'il le faut, mais dites aux enfants qu'il ne faut pas qu'ils vous dérangent, à moins qu'il n'y ait urgence, pendant une heure ou aussi longtemps qu'ils le peuvent. Donnez-leur un nouveau jouet, allumez-leur la télé et vous découvrirez vite qu'ils vont s'ajuster à vos besoins, et non l'inverse."

La belle-famille

"Jim est un tout petit peu regardant quand il s'agit de couper des tranches de rôti, n'est-ce pas?", observe la mère de Marilyn tandis qu'elles font la vaisselle ensemble. Des remarques de ce genre ont le don de créer une certaine tension, plus tard, dans la chambre à coucher. Les beaux-parents comme la mère de Marilyn ont toujours eu mauvaise presse et cela semble en bonne partie justifié. Un parent qui essaie constamment de garder le contrôle ou qui n'a rien d'autre à offrir que des critiques est plutôt mal venu même au sein de la plus stable des relations.

La plupart des couples qui parviennent à s'accommoder d'une belle-mère ou d'un beau-père indélicat (ou des deux) disent que si l'on règle la situation dès le début bien des problèmes peuvent être tués dans l'oeuf. "Charles et moi avons finalement réalisé qu'il nous fallait faire front commun", dit Suzanne, dont la belle-mère sudiste éprouvait le besoin de passer des petits commentaires sur tout, de sa façon de faire la cuisine à la couleur de ses cheveux. Si belle-maman déclarait: "Les gens du Nord ne savent vraiment pas faire une tarte aux pacanes" ou "C'est une honte, ma chérie, de voir comment tes enfants ne parviennent pas à comprendre les bonnes manières...", Suzanne et Charles suggéraient tous deux, fermement mais poliment que belle-maman pourrait peut-être se trouver une pâtisserie plus agréable ou des enfants mieux élevés ailleurs que chez eux. Mme B..., voyant qu'elle avait à affronter une union sans faille, cessa finalement de faire des commentaires. "Si vous aviez à choisir entre votre femme et vos parents, dit une sage et affectueuse belle-mère, le choix devrait être évident."

L'argent

"L'argent et le sexe sont les deux plus importantes sources de problèmes dans un mariage, dit un avocat new-yorkais spécialisé dans les divorces. Si vous avez les deux en grande quantité, il n'y a pas de problème, mais ce n'est pas le cas le plus courant." "Je peux parler librement des aspects les plus intimes de ma vie, admet un homme d'affaires qui a réussi, mais je me referme comme une huître quand il s'agit d'argent. Ma femme ne sait même pas ce qu'il y a dans notre compte en banque."

Peu de gens oseraient nier les dangers et les délices qui vont avec l'argent. Des milliers de livres ont été écrits sur le sujet et des millions de disputes tournent autour de ça. Les attitudes à l'égard de l'argent peuvent souvent en dire long sur l'état d'un mariage. Il ne peut y avoir de relation égalitaire si l'on soustrait à l'un des partenaires l'information sur l'argent du ménage ou si l'un des partenaires administre tout l'argent sans la participation de l'autre. Même si un seul travaille, les deux doivent assumer la responsabilité des affaires financières du couple. La femme qui dit: “C’est lui qui gagne tout l’argent, il est normal que ce soit lui qui fasse tous les investissements” ou le mari qui déclare: “C’est elle qui s’occupe du carnet de chèques” se préparent des ennuis. Chacun de vous devrait insister pour connaître la situation financière du couple et chacun devrait assumer une responsabilité égale dans la négociation de tout besoin qui peut survenir.

Les carrières

La question des carrières est liée étroitement à la question monétaire. La famille où chacun a sa carrière est en train de devenir la norme et, avec l’accroissement des ambitions, les problèmes auxquels une relation peut avoir à faire face s’accroissent également. Deux avocats qui se sont mariés récemment trouvaient qu’ils vivaient ce qu’il pouvait y avoir de mieux au monde. “Nous appartenions à la même profession, avec des salaires presque égaux, et nous partagions les mêmes buts, dit Nancy. Au début, il n’y avait pas de conflit, mais plus tard, il a fallu que j’organise beaucoup de réceptions les soirs de semaine, et mon mari a dû passer de longues heures, les fins de semaine, à la bibliothèque du palais de justice. Nous nous voyions rarement. À cela est venu s’ajouter le fait que nous nous sommes mis à songer à avoir un enfant, mais je trouvais que si je tombais enceinte ma carrière en souffrirait. Je me suis finalement rendu compte que, même si nous avions pensé former le couple idéal, nous étions en réalité enfermés dans une compétition intense et destructrice.”

La prise de conscience du problème a été le début de sa solution. Ces deux avocats qui négociaient chaque jour pour leurs clients des arrangements complexes avaient été réticents à appliquer leurs talents à leur propre relation. Il leur fallut passer des mois à discuter, à établir leurs priorités et à comprendre ce qui faisait vraiment bien fonctionner leur vie en commun — indépendamment de leurs professions — pour parvenir à remettre leur mariage sur ses rails.

Les enfants, la belle-famille, l'argent et les carrières constituent des interférences évidentes mais je pourrais encore en ajouter une à la liste, qui n'est peut-être pas très importante mais qui tout de même crée des problèmes de façon insidieuse: la télévision. "Il est dix heures, les enfants sont au lit, vous venez juste de vous glisser dans vos draps propres et soyeux, et voilà que la télé se met en marche. La télévision, c'est ça qui, de nos jours, tue l'amour le plus sûrement", dit une femme sage dont le mariage a survécu à tous les inconvénients de la vie moderne. Elle et son mari éteignent la télé, oublient le monde, se versent un verre de sherry... et parlent.

XVII

Entre savoir et faire

Après avoir lu ce livre, vous pouvez être tenté de vous dire: "Mais je savais presque tout ça", et c'est vrai que bien des points traités ici paraissent simples et relèvent du gros bon sens, mais

> Quand est-ce que vous lui avez envoyé une rose pour la dernière fois? Quand est-ce que vous lui avez amené son petit déjeuner au lit? Quand est-ce que vous avez, pour la dernière fois, lu un livre ensemble, joué au tennis ensemble, pris un bain ensemble? Quand est-ce que vous avez, pour la dernière fois, parlé, parlé et parlé encore jusqu'à ce que le soleil se lève?

S'il est un message que nous livrent les hommes et les femmes qui ont réussi à faire de leur vie commune quelque chose de très spécial, c'est bien celui-ci:

Prévoyez du temps pour vous comprendre l'un l'autre et pour faire les choses qui amélioreront votre relation, puis *faites*-les.

Table des matières

Lithographié au Canada
sur les presses de
Métropole Litho Inc.

Ouvrages parus chez

sans * pour l'Amérique du Nord seulement
* pour l'Europe et l'Amérique du Nord
** pour l'Europe seulement

COLLECTION BEST-SELLERS

* **Comment aimer vivre seul,** Lynn Shahan
* **Comment faire l'amour à une femme,** Michael Morgenstern
* **Comment faire l'amour à un homme,** Alexandra Penney
* **Grand livre des horoscopes chinois, Le,** Theodora Lau
Maîtriser la douleur, Meg Bogin
Personne n'est parfait, Dr H. Weisinger, N.M. Lobsenz

COLLECTION ACTUALISATION

* **Agressivité créatrice, L',** Dr G.R. Bach, Dr H. Goldberg
* **Aider les jeunes à choisir,** Dr S.B. Simon, S. Wendkos Olds
Au centre de soi, Dr Eugene T. Gendlin
Clefs de la confiance, Les, Dr Jack Gibb
* **Enseignants efficaces,** Dr Thomas Gordon
États d'esprit, Dr William Glasser
* **Être homme,** Dr Herb Goldberg
* **Jouer le tout pour le tout,** Carl Frederick
* **Mangez ce qui vous chante,** Dr L. Pearson, Dr L. Dangott, K. Saekel
* **Parents efficaces,** Dr Thomas Gordon
* **Partenaires,** Dr G.R. Bach, R.M. Deutsch
Secrets de la communication, Les, R. Bandler, J. Grinder

COLLECTION VIVRE

* **Auto-hypnose, L',** Leslie M. LeCron
Chemin infaillible du succès, Le, W. Clement Stone
* **Comment dominer et influencer les autres,** H.W. Gabriel
Contrôle de soi par la relaxation, Le, Claude Marcotte
Découvrez l'inconscient par la parapsychologie, Milan Ryzl
Espaces intérieurs, Les, Dr Howard Eisenberg
Être efficace, Marc Hanot
Fabriquer sa chance, Bernard Gittelson
Harmonie, une poursuite du succès, L', Raymond Vincent
* **Miracle de votre esprit, Le,** Dr Joseph Murphy
* **Négocier, entre vaincre et convaincre,** Dr Tessa Albert Warschaw

* **On n'a rien pour rien,** Raymond Vincent

Parlez pour qu'on vous écoute, Michèle Brien

Pensée constructive et le bon sens, La, Raymond Vincent

* **Principe du plaisir, Le,** Dr Jack Birnbaum

* **Puissance de votre subconscient, La,** Dr Joseph Murphy

Reconquête de soi, La, Dr James Paupst, Toni Robinson

* **Réfléchissez et devenez riche,** Napoleon Hill

Règles d'or de la vente, Les, George N. Kahn

Réussir, Marc Hanot

* **Rythmes de votre corps, Les,** Lee Weston

* **Se connaître et connaître les autres,** Hanns Kurth

* **Succès par la pensée constructive, Le,** N. Hill, W.C. Stone

Triomphez de vous-même et des autres, Dr Joseph Murphy

Vaincre la dépression par la volonté et l'action, Claude Marcotte

* **Vivre, c'est vendre,** Jean-Marc Chaput

Votre perception extra-sensorielle, Dr Milan Ryzl

COLLECTION VIVRE SON CORPS

Drogues, extases et dangers, Les, Bruno Boutot

* **Massage en profondeur, Le,** Jack Painter, Michel Bélair

* **Massage pour tous, Le,** Gilles Morand

* **Orgasme au féminin, L',** Christine L'Heureux

* **Orgasme au masculin, L',** sous la direction de Bruno Boutot

* **Orgasme au pluriel, L',** Yves Boudreau

Pornographie, La, Collectif

Première fois, La, Christine L'Heureux

Sexualité expliquée aux adolescents, La, Yves Boudreau

COLLECTION IDÉELLES

Femme expliquée, La, Dominique Brunet

Femmes et politique, sous la direction de Yolande Cohen

HORS-COLLECTION

1500 prénoms et leur signification, Jeanne Grisé-Allard

Bien s'assurer, Carole Boudreault et André Lafrance

* **Entreprise électronique, L',** Paul Germain
Horoscope chinois, L', Paula Del Sol
Lutte pour l'information, La, Pierre Godin
Mes recettes, Juliette Lassonde
Recettes de Janette et le grain de sel de Jean, Les, Janette Bertrand

Autres ouvrages parus aux Éditions du Jour

ALIMENTATION ET SANTÉ

Alcool et la nutrition, L', Jean-Marc Brunet
Acupuncture sans aiguille, Y. Irwin, J. Wagenwood
Bio-énergie, La, Dr Alexander Lowen
Breuvages pour diabétiques, Suzanne Binet
Bruit et la santé, Le, Jean-Marc Brunet
Ces mains qui vous racontent, André-Pierre Boucher
Chaleur peut vous guérir, La, Jean-Marc Brunet
Comment s'arrêter de fumer, Dr W.J. McFarland, J.E. Folkenberg
Corps bafoué, Le, Dr Alexander Lowen
Cuisine sans cholestérol, La, M. Boudreau-Pagé, D. Morand, M. Pagé
Dépression nerveuse et le corps, La, Dr Alexander Lowen
Desserts pour diabétiques, Suzanne Binet
Jus de santé, Les, Jean-Marc Brunet
Mangez, réfléchissez et..., Dr Leonid Kotkin
Échec au vieillissement prématuré, J. Blais
Facteur âge, Le, Jack Laprata
Guérir votre foie, Jean-Marc Brunet
Information santé, Jean-Marc Brunet
Libérez-vous de vos troubles, Dr Aldo Saponaro
Magie en médecine, La, Raymond Sylva
Maigrir naturellement, Jean-Luc Lauzon
Mort lente par le sucre, La, Jean-Paul Duruisseau
Recettes naturistes pour arthritiques et rhumatisants, L. Cuillerier, Y. Labelle
Santé par le yoga, Suzanne Piuze
Touchez-moi s'il vous plaît, Jane Howard
Vitamines naturelles, Les, Jean-Marc Brunet
Vivre sur la terre, Hélène St-Pierre

ART CULINAIRE

Armoire aux herbes, L', Jean Mary
Bien manger et maigrir, L. Mercier, C.B. Garceau, A. Beaulieu
Cuisine canadienne, La, Jehane Benoit
Cuisine du jour, La, Robert Pauly
Cuisine roumaine, La, Erastia Peretz
Recettes et propos culinaires, Soeur Berthe
Recettes pour homme libre, Lise Payette
Recettes de Soeur Berthe — été, Soeur Berthe
Recettes de Soeur Berthe — hiver, Soeur Berthe
Recettes de Soeur Berthe — printemps, Soeur Berthe
Une cuisine toute simple, S. Monange, S. Chaput-Rolland
Votre cuisine madame, Germaine Gloutnez

DOCUMENTS ET BIOGRAPHIES

100 000ième exemplaire, Le, J. Dufresne, S. Barbeau
40 ans, âge d'or, Eric Taylor
Administration en Nouvelle-France, Gustave Lanctôt
Affrontement, L', Henri Lamoureux
Baie James, La, Robert Bourassa
Cent ans d'injustice, François Hertel
Comment lire la Bible, Abbé Jean Martucci
Crise d'octobre, La, Gérard Pelletier
Crise de la conscription, La, André Laurendeau
D'Iberville, Jean Pellerin
Dangers de l'énergie nucléaire, Les, Jean-Marc Brunet
Dossier pollution, M. Chabut, T. LeSauteur
Énergie aujourd'hui et demain, François L. de Martigny
Équilibre instable, L', Louise Deniset
Français, langue du Québec, Le, Camille Laurin
Grève de l'amiante, La, Pierre Elliott Trudeau
Hiérarchie ethnique dans la grande entreprise, Jean-Marie Rainville
Histoire de Rougemont, L', Suzanne Bédard
Hommes forts du Québec, Les, Ben Weider
Impossible Québec, Jacques Brillant
Joual de Troie, Le, Marcel Jean
Louis Riel, patriote, Martwell Bowsfield
Mémoires politiques, René Chalout
Moeurs électorales dans le Québec, Les, J. et M. Hamelin
Pêche et coopération au Québec, Paul Larocque
Peinture canadienne contemporaine, La, William Withrow
Philosophie du pouvoir, La, Martin Blais
Pourquoi le bill 60? Paul Gérin-Lajoie
Rébellion de 1837 à St-Eustache, La, Maximilien Globensky
Relations des Jésuites, T. II
Relations des Jésuites, T. III
Relations des Jésuites, T. IV
Relations des Jésuites, T. V

ENFANCE ET MATERNITÉ

Enfants du divorce se racontent, Les, Bonnie Robson

Famille moderne et son avenir, La, Lynn Richards

ENTREPRISE ET CORPORATISME

Administration et la prise, L', P. Filiatrault, Y.G. Perreault

Administration, développement, M. Laflamme, A. Roy

Assemblées délibérantes, Claude Béland

Assoiffés du crédit, Les, Fédération des A.C.E.F. du Québec

Coopératives d'habitation, Les, Murielle Leduc

Mouvement coopératif québécois, Gaston Deschênes

Stratégie et organisation, J.G. Desforges, C. Vianney

Vers un monde coopératif, Georges Davidovic

GUIDES PRATIQUES

550 métiers et professions, Françoise Charneux Helmy

Astrologie et vous, L', André-Pierre Boucher

Backgammon, Denis Lesage

Bridge, notions de base, Denis Lesage

Choisir sa carrière, Françoise Charneux Helmy

Croyances et pratiques populaires, Pierre Desruisseaux

Décoration, La, D. Carrier, N. Houle

Des mots et des phrases, T. I, Gérard Dagenais

Des mots et des phrases, T. II, Gérard Dagenais

Diagrammes de courtepointes, Lucille Faucher

Dis papa, c'est encore loin?, Francis Corpatnauy

Douze cents nouveaux trucs, Jeanne Grisé-Allard

Encore des trucs, Jeanne Grisé-Allard

Graphologie, La, Anne-Marie Cobbaert

Greffe des cheveux vivants, La, Dr Guy, Dr B. Blanchard

Guide de l'aventure, N. et D. Bertolino

Guide du chat et de son maître, Dr L. Laliberté-Robert, Dr J.P. Robert

Guide du chien et de son maître, Dr L. Laliberté-Robert, Dr J.P. Robert

Macramé-patrons, Paulette Hervieux

Mille trucs, madame, Jeanne Grisé-Allard

Monsieur Bricole, André Daveluy
Petite encyclopédie du bricoleur, André Daveluy
Parapsychologie, La, Dr Milan Ryzl
Poissons de nos eaux, Les, Claude Melançon
Psychologie de l'adolescent, La, Françoise Cholette-Pérusse
Psychologie du suicide chez l'adolescent, La, Brenda Rapkin
Qui êtes-vous? L'astrologie répond, Tiphaine
Régulation naturelle des naissances, La, Art Rosenblum
Sexualité expliquée aux enfants, La, Françoise Cholette-Pérusse
Techniques du macramé, Paulette Hervieux
Toujours des trucs, Jeanne Grisé-Allard
Toutes les races de chats, Dr Louise Laliberté-Robert
Vivre en amour, Isabelle Lapierre-Delisle

LITTÉRATURE

À la mort de mes vingt ans, P.O. Gagnon
Ah! mes aïeux, Jacques Hébert
Bois brûlé, Jean-Louis Roux
C't'a ton tour, Laura Cadieux, Michel Tremblay
Coeur de la baleine bleue, (poche), Jacques Poulin
Coffret Petit Jour, Abbé J. Martucci, P. Baillargeon, J. Poulin, M. Tremblay
Colin-maillard, Louis Hémon
Contes pour buveurs attardés, Michel Tremblay
Contes érotiques indiens, Herbert T. Schwartz
De Z à A, Serge Losique
Deux millième étage, Roch Carrier
Le dragon d'eau, R.F. Holland
Éternellement vôtre, Claude Péloquin
Femme qu'il aimait, La, Martin Ralph
Filles de joie et filles du roi, Gustave Lanctôt
Floralie, où es-tu?, Roch Carrier
Fou, Le, Pierre Châtillon
Il est par là le soleil, Roch Carrier
J'ai le goût de vivre, Isabelle Delisle
J'avais oublié que l'amour fût si beau, Yvette Doré-Joyal
Jean-Paul ou les hasards de la vie, Marcel Bellier
Jérémie et Barabas, F. Gertel
Johnny Bungalow, Paul Villeneuve
Jolis deuils, Roch Carrier
Lapokalipso, Raoul Duguay
Lettre à un Français qui veut émigrer au Québec, Carl Dubuc
Lettres d'amour, Maurice Champagne
Une lune de trop, Alphonse Gagnon
Ma chienne de vie, Jean-Guy Labrosse
Manifeste de l'infonie, Raoul Duguay
Marche du bonheur, La, Gilbert Normand
Meilleurs d'entre nous, Les, Henri Lamoureux
Mémoires d'un Esquimau, Maurice Métayer
Mon cheval pour un royaume, Jacques Poulin
N'Tsuk, Yves Thériault
Neige et le feu, La, (poche), Pierre Baillargeon

Obscénité et liberté, Jacques Hébert
Oslovik fait la bombe, Oslovik
Parlez-moi d'humour, Normand Hudon
Scandale est nécessaire, Le, Pierre Baillargeon
Trois jours en prison, Jacques Hébert
Voyage à Terre-Neuve, Comte de Gébineau

SPORTS

Baseball-Montréal, Bertrand B. Leblanc
Chasse au Québec, La, Serge Deyglun
Exercices physiques pour tous, Guy Bohémier
Grande forme, Brigitte Baer
Guide des sentiers de raquette, Guy Côté
Guide des rivières du Québec, F.W.C.C.
Hébertisme au Québec, L', Daniel A. Bellemare
Lecture de cartes et orientation en forêt, Serge Godin
Nutrition de l'athlète, La, Jean-Marc Brunet
Offensive rouge, L', G. Bonhomme, J. Caron, C. Pelchat
Pêche sportive au Québec, La, Serge Deyglun
Raquette, La, Gérard Lortie
Ski de randonnée — Cantons de l'Est, Guy Côté
Ski de randonnée — Lanaudière, Guy Côté
Ski de randonnée — Laurentides, Guy Côté
Ski de randonnée — Montréal, Guy Côté
Ski nordique de randonnée et ski de fond, Michael Brady
Technique canadienne de ski, Lorne Oakie O'Connor
Truite, la pêche à la mouche, Jeannot Ruel
La voile, un jeu d'enfant, Mario Brunet

Imprimé au Canada/Printed in Canada

01